CW00411395

Boy Diola

Yancouba Diémé

Boy Diola

roman

Flammarion

À mes frères, à mes sœurs

C'est au sud de la Corse, à environ six kilomètres de Bonifacio, que se trouve la plage de Paragan. Vues du ciel, les falaises blanches se dressent hautes comme des forteresses contre les vents marins. Des jeunes se jettent dans une eau teintée de bleu et de vert. L'un des meilleurs endroits pour la baignade. Une plage sauvage entre calcaire et granit où l'on croise (et c'est un fait dont tout le monde aime se vanter) très peu de touristes.

On est en janvier 2010, il fait froid ce soir. Les vagues s'entrechoquent sur les petits cailloux. Les herbiers de posidonies sont à peine visibles. Un bateau approche à une heure inhabituelle. Il vacille, fragile, dans le cahotement des vagues. Pas une seule lumière pour signaler sa présence, pas un seul ronflement. Le silence total. Bientôt, les cris de nourrissons y mettent un terme et enrayent le chant des vagues. Un homme en noir pose le pied à terre, le premier. Il crie quelque chose dans une langue que les personnes sur le bateau ne comprennent pas toutes. Même si cette langue est inconnue, on saisit sans trop de difficultés que cet homme ordonne aux passagers de foutre le camp, de débarrasser le plancher. En un rien de temps, ils se retrouvent tous sur la plage.

La vie doit recommencer. Certains se frottent les yeux, observent au loin les lumières de la ville. Ils ramassent leurs ultimes bagages, se bousculent. Tout va très vite. Une dispute éclate, des voix montent. Il ne faut pas se faire repérer. Le bateau largue les amarres sans un bruit, avec Dieu pour seul témoin.

Les températures continuent de chuter.

Il faut construire un abri pour la nuit.

Au matin, des pêcheurs les découvrent. Depuis combien de temps sont-ils là ? Le terme de naufragé est celui qui revient le plus souvent dans leurs bouches, mais est-ce qu'on peut émettre pareille hypothèse ? Un bateau est arrivé la nuit dernière, et il est reparti sans être signalé. Aujourd'hui il y a une centaine de survivants rassemblés autour d'un camp sur la plage de Paragan. Les cendres sont froides. Des enfants sont assis à même le sol terreux. Ils portent des blousons roses, trop larges au niveau des manches. Ils courent, se cachent, rient à gorge déployée. Des bébés sucent leur tétine, leurs maigres épaules enveloppées dans des châles imprégnés de l'odeur maternelle. Au milieu il y a des femmes enceintes.

Les enfants s'arrêtent de jouer, net, puis ils lèvent les yeux vers les secouristes en uniforme. Ils apportent avec eux du café et du chocolat chaud. Une femme s'avance, elle parle français, elle dit venir de Tunisie, elle ne sait pas trop, elle dit que le bateau est parti. Tout le monde se porte bien. Le maire de Bonifacio a fait le déplacement, on l'a appelé pour lui annoncer la nouvelle. C'est la première fois en Corse qu'un tel événement se produit. Le maire dit aux journalistes : « Les gens parlent peu. »

Trois jours plus tard, un bus blanc attend devant le gymnase de Bonifacio. Il a été affrété par Éric Besson qui a affirmé « chercher une solution ». Devant, le chauffeur dévisage le groupe, l'air de dire : « C'est eux que je vais devoir conduire ? » Les accompagnateurs, dont certains parlent arabe, ont l'air plus accueillants, malgré leur uniforme. Ils ne veulent pas éveiller le moindre soupçon quant à leur sincérité. Au fond, ils connaissent l'issue de cette histoire, le sort qui sera réservé à ces individus. Des membres d'associations humanitaires sont là aussi, portant badges et blousons.

Sur la photo prise par Rémy Gabalda, on voit des hommes et des femmes le regard tourné vers le paysage. Ils sont en route pour le centre de rétention de Cornebarrieu où ils sont acheminés au compte-gouttes. Un enfant caché au fond du bus porte un cache-oreilles. On peut lire sur la vitre, à côté du marteau brise-vitre, *Issue de secours*.

Mon père se terre dans le silence. Il acquiesce. Dans son fauteuil, il repense à son voyage en bateau. Dans les yeux des naufragés il revoit tous ceux qui ont fait la traversée avec lui en 1969. Il commence une phrase et puis s'arrête, il s'impatiente, *Non ça sert à rien de parler, vous pouvez pas comprendre le diola sinon je vous aurais raconté plein de choses.*

C'est là que tout a commencé. Je n'étais au courant de rien. Je pensais que tu étais arrivé en France en avion, comme tout le monde. Ma première terreur, à dix-neuf ans. Je n'ai pas pu en rester là. J'ai mis en danger la place du fils en voulant connaître le commencement de tes souffrances, Apéraw.

Tu t'es levé dans toute ta puissance, dans toute ta jeunesse, les veines de la colère sont apparues sur ton cou. Tu m'as agrippé par le col mais tu t'es rétracté au dernier moment quand j'ai posé la main sur ma tête pour me protéger des coups. Peu m'importaient le soleil, les animaux de la brousse, les histoires racontées autour du feu. Je voulais savoir comment les choses s'étaient passées sur le bateau.

Ne me fatigue pas avec ça, ne m'emmerde pas avec ces histoires. C'est les Blancs qui sont venus nous ramasser.

Sabari Apéraw, pardon d'être resté si longtemps au bord de la faille qui nous sépare. Sabari. Ces huit jours de traversée n'ont pas pu disparaître de ta mémoire.

On nous a ramassés pour venir travailler en France.

Fatiay

Apéraw verse un demi-litre d'eau sur le seuil de la porte. Par ce geste de bénédiction, il demande aux anciens de nous escorter à bon port. J'hésite au moment de quitter la maison, je ne sais plus si je dois sortir du pied droit ou du pied gauche. Mais ça n'a aucune importance. La route est bénite, on peut aller en paix et arriver en paix.

Juillet 2001, j'ai onze ans, c'est mon premier voyage en pays diola.

Rejoindre la Casamance depuis Thiaroye dans la banlieue de Dakar, c'est beaucoup d'emmerdements. En particulier à cause de la présence de l'État gambien en plein milieu du territoire sénégalais. Maintenant pour gagner le sud du pays, il faut survoler la Gambie (trop coûteux), prendre le bateau Le Joola (périlleux) ou la contourner par Tambacounda, une option qui rallonge considérablement le temps de parcours. Le plus pénible dans ce voyage, au-delà du passage de la douane, c'est l'attente pour traverser le fleuve.

À Farafenni, là où on embarque sur le bac, la queue est interminable. Des camions de marchandises et de transport de passagers, des bus, des 4 × 4 climatisés aux vitres teintées et enfin des 7-places, modèle Peugeot 505 Break, dans l'un desquels Apéraw, mes deux frères et moi sommes installés. Tenir à l'arrière de ces véhicules est un vrai calvaire. C'est déconseillé aux femmes enceintes et aux personnes à la santé fragile. Donc premier arrivé premier servi, sauf pour les mères bonnes comédiennes qui parviennent à échanger leur siège en exhibant des ordonnances froissées. Mes deux frères et moi sommes les plus jeunes, il n'y a pas à discuter, ces places-là nous sont attribuées d'office.

Mieux vaut se montrer patients. C'est le moment de s'échapper de la voiture. Nous achetons des sandwichs dans une petite boutique. À l'intérieur, deux longues tables en bois recouvertes de nappes en plastique déchirées. La patronne sort du thon en conserve et le fourre dans un pain d'avant-hier déniché au fond d'un tiroir. Sans nous demander notre avis, elle y ajoute une bonne dose de mayonnaise. Apéraw ne mange rien. Il profite de la longue attente pour se dégourdir les jambes. Les mains derrière le dos, il observe l'animation à la frontière. Dès qu'un véhicule s'insère dans la file, il est aussitôt pris d'assaut par les vendeurs d'arachides, d'oranges et de gadgets électroniques. L'un d'eux nous regarde avec insistance. Une fille, plus jeune, nous propose des œufs blancs et une pincée de cube Jumbo. Apéraw fait signe à l'un des garçons. Il lui tend deux pièces de 100 francs en échange de piles neuves pour la radio. Les gens d'ici vivent ainsi. Un jour les gouvernements sénégalais et gambien ont entamé des pourparlers pour la construction d'un pont afin d'éviter l'engorgement. Quand il rejoindra l'autre rive, le pont précipitera la chute des vendeurs de frontière.

Les bus sont surchargés. Ils grincent et penchent tellement, on dirait qu'ils vont se couper en deux. Ils montent les premiers sur le bac. Sur les toits, des chèvres bêlent au milieu des frigos, des chaises et des valises. Les cornes des bêtes heurtent la carrosserie à chaque soubresaut et quand elles pissent, soit pour exprimer leur mécontentement, soit pour montrer qu'elles sont à leur aise, c'est directement sur les passagers entassés à l'intérieur. Ils sont tous fatigués, ils ont passé la journée assis sur des strapontins moitié mousse moitié fer. Le chauffeur du bus augmente le son de la radio pour ne pas entendre les premières insultes. Enfant malpropre. Il aurait dû laisser le vieux soulager sa prostate capricieuse. On lui a demandé de s'arrêter plusieurs fois. Mais non, les minutes sont précieuses. Le vieux n'a pas pu se retenir, il a grimacé et trempé son siège. Bilayi, le chauffeur il est trop impoli. Les flammes de l'enfer l'attendent au Jugement dernier.

Nous sommes des Français fragiles. Ni plus ni moins. C'est suffisant pour se chier dessus. À la sortie du bac, le chauffeur s'amuse à voir la peur se dessiner sur nos visages d'enfants. Et pas seulement à cause de la vitesse et des fâcheux coups de volant. Ici commence la Casamance. Des rebelles sont en embuscade dans la forêt et on risque de tomber sur un barrage. Apparemment ils dépouillent et égorgent les étrangers, Sénégalais compris, car le Sénégal et la Casamance ça fait deux. Apéraw veut la paix, il n'aime pas aborder ce sujet. Il faut laisser les enfants en dehors de ces questions hautement politiques. La Casamance a souffert. Nous ne sommes pas des saboteurs de forêt. Et puis parce que nous sommes diolas nous n'avons pas à craindre l'assaut des hommes sanguinaires.

La Peugeot se fraie un chemin dans la forêt et zigzague pour éviter les trous gorgés d'eau. Aux abords de Bindago, des garçons vêtus de maillots de foot trop grands tirent des ânes chargés de charbon. Avec un fouet, ils caressent à intervalles réguliers le cuir des bêtes. Les ânes cependant ne changent rien à leur allure paresseuse malgré les menaces, Atcha atcha, tss tss. Apéraw espère voir un jour ces garçons maîtriser aussi bien le kadiandou que la cravache. Ils deviendront cultivateurs, comme père et mère. Des riziculteurs et des patrons de l'arachide.

Une fois passé Boutolate, la forêt s'obscurcit. Des militaires rôdent. Ils ont pour mission d'empêcher la coupe du bois et de guetter les mouvements rebelles. Le chauffeur leur fait un salut. Il répète doucement : « Mes respects. Mes respects. » Je comprends maintenant pourquoi Apéraw disait tout le temps, *Nous on est nés dans la forêt*. J'avais en tête des images certes, mais elles ne permettaient pas de faire un monde. Et puis ces images je les avais construites à partir de la télé, elles étaient fausses. Ça voulait dire quoi naître et grandir dans la forêt, pour moi qui n'avais qu'à de rares occasions quitté le ciment des banlieues parisiennes ? Le bled pour beaucoup de jeunes des cités représente la plus haute menace. Les parents y envoient les enfants récalcitrants, les mauvais élèves et les adolescents trop connus des services de police. À l'arrivée, les passeports sont confisqués. Le séjour au soleil, tous frais payés, peut durer des années. Le retour aux racines les aide à se débarrasser du mal et à mûrir. Quant à moi, mes résultats scolaires sont bons mais je ne baisse pas ma garde pour autant.

Kagnarou est un village situé à une quinzaine de kilomètres de Bignona. On y accède par une route de latérite, rouge et caillouteuse par endroits. Du temps de avant-avant c'était un endroit très peuplé. Kagnarou n'avait alors rien à envier au sublime de Thionck Essyl, chef-lieu de la région du Blouf, officiellement érigé au rang de « plus grand village de Casamance ». Il y avait des gens qui ne se connaissaient même pas. Du monde partout partout et de l'ambiance. *Nooon... depuis le matin jusqu'à le soir tu pouvais pas marcher cinq minutes sans voir quelqu'un.*
Notre chauffeur est né à Kagnarou, comme Apéraw. Il porte des Ray-Ban, mâchouille un bâtonnet et klaxonne comme un salaud quand il croise des gens sur la route. De l'agacement ou des salutations, je ne

sais pas. Les silhouettes ont à peine le temps d'esquisser un geste. Chacun a le droit d'être curieux mais lui n'a pas le temps. Alors la voiture continue sa course tant que l'état de la route le permet. Il donne à Apéraw des nouvelles du village. Depuis son départ, la malédiction n'a pas cessé de frapper. Les gens continuent de mourir comme des chiens dans des chambres mal ventilées à l'hôpital de Bignona, parce que les Western Union des frères vivant en Europe n'arrivent jamais. Apéraw a vécu un temps que ce gars ne pourrait pas comprendre. Il écoute d'une oreille seulement.

Le Diola il connaît pas les médicaments. Nous on connaît les racines, c'est tout. C'est ça notre médicament.

Ça a commencé comme ça. Les Blancs sont arrivés, ils ont dit : « Il faut vacciner tous les enfants du village. » Pourquoi ? Des trucs préventifs. Des médicaments pour des gens en bonne santé afin de leur éviter d'attraper des maladies. C'était louche. On leur avait rien demandé.

Abidjé, le père d'Apéraw, l'a pris à l'écart et l'a menacé. Quand son tour est venu, Apéraw s'est avancé pour recevoir le vaccin. Ensuite il a couru dans les bois et il a frotté un citron sur son bras pour en expulser le liquide, comme son père le lui avait expliqué. Après cette première piqûre, il a toujours refusé les suivantes. En France, à l'usine, à chaque visite médicale il refusait catégoriquement les vaccins. *L'aiguille ça va pas rentrer dans mon corps, jamais.* Mais quand moi je veux l'imiter en jouant au dur dans le cabinet médical, il me prévient, *Toi tu peux pas faire ça, t'es né ici, c'est pas le même sang.*

Je ne connais pas son âge. Apéraw a l'air d'avoir quatre cents ans. Comment peut-il avoir vécu à la fois l'époque où l'on faisait griller la viande de cochon et celle de l'école coranique ? L'époque des accouchements dans la forêt et celle des premiers dispensaires ? Les souvenirs d'Apéraw et les récits des kounifaanaw se confondent en une seule et même histoire, comme une contribution à la mémoire collective. Du fait de leur grand âge, les kounifaanaw étaient considérés comme des sages et leur parole ne troublait pas l'apaisement des arbres. Après des recherches approfondies et avec de la rigueur, je suis en mesure d'établir une chronologie. Le temps de avant-avant est celui qui échappe à la datation. Il trouve sa raison d'être dans l'oubli.

À notre arrivée à Kagnarou, les cousines sont en train d'équeuter des feuilles d'ékangouley dans de grandes calebasses. Une fois séchées, ces feuilles serviront à faire une sauce pour le riz blanc. C'est le plat de base, midi et soir, en saison sèche comme en saison des pluies. Le taxi s'arrête, les filles se redressent et suspendent leur activité. Il y a de la visite. Les oncles et les tantes se lèvent pour nous accueillir. La réaction est la même pour tous. Apéraw n'avait prévenu personne. Notre venue les honore et ils l'expriment par la formule de politesse « Hé Bou ! Mais depuis quand !? ».

Apéraw répond depuis hier. Il ne dit pas la vérité. Ça fait aussi partie des mises en garde avant le voyage : dissimuler ses intentions permet de garantir sa sécurité. Ne jamais annoncer de date d'arrivée et si quelqu'un demande celle du départ, dire : « Je n'ai pas encore pris de billet retour, je suis ici pour l'instant. » Pourquoi ça ? Dans quel but ? Se protéger de qui ? Contre quoi ? On ne sait jamais, les gens sont mauvais. J'écoute sans broncher. J'ai appris à rester en dehors des affaires du bled. Obéir seulement. Suivre mon père.

Il y a des mains à serrer, des salutations à respecter. D'Erindiang à Dialamantin, de Fengho à Kambamba avant Fatiay « le quartier en haut », celui d'Apéraw. Nous entrons par des portes tordues. À l'intérieur, l'air est frais, ça circule bien et les mouches bourdonnent sous le plafond bas. Près de la porte, je distingue une jarre remplie d'eau, sur laquelle est posé un récipient en métal, et des tabourets minuscules. Des chiens tout maigres, craintifs, la peau recouverte de boursouflures et de mouches sont chassés quand ils tentent d'obtenir quelque marque d'affection. Leurs aboiements sont sanctionnés par un lancer de sandales ou une insulte. Des enfants s'affairent autour d'un bol de koubakak, les fruits du baobab. Ils ont de la chance. Le plus petit met des coups de coude aux autres pour avoir les meilleurs morceaux.

Les salutations se font en diola.

« Le prénom c'est comment ?

— Yancouba

— Et le nom de famille ?

— Diémé

— Yo Diémé Diémé.

— Sané Sané. »

Ils rient comme si c'était inimaginable.

« Ta maison c'est où ?

— Ma maison c'est Kagnarou Fatiay. »

Et là ils rient de plus belle, me félicitent d'une bonne tape sur l'épaule. C'est bien, j'ai révisé mes formules de salutations. Répondre « Aulnay-sous-Bois » ça n'aurait pas été sérieux. À Kinsi, à Kambamba, à Fengho, les parents nous offrent des poules, des mangues et des koubakak, d'autres promettent d'égorger un bœuf. Je ne suis pas à l'aise avec les poules, même si j'essaye de faire croire le contraire. Les plus petits se moquent de moi en me voyant me ratatiner. Hé nous ne sommes pas des rois, nous ne méritons aucun traitement de faveur, nous venons par devoir, par respect, pour la transmission, nous sommes vos enfants, vos frères. Notre maison c'est ici, il n'y a aucun doute à avoir. Apéraw a sué bien comme il faut sur cette terre pour que sa descendance puisse un jour marcher sans honte.

Le vieux Sané a fait la guerre, laquelle, la Seconde Guerre mondiale ou l'Algérie, personne ne s'en souvient. Dans tout le village c'était lui le premier à posséder un vélo. Du temps de avant-avant il travaillait en ville avec des Blancs. À son retour au village, des enfants couraient derrière lui. Chacun voulait faire un tour à vélo. Ce qui a meurtri le vieux Sané, ce n'est pas la guerre, ni les balles ni le chagrin. Il a chuté d'un arbre. Depuis il est allongé toute la journée sur un matelas en mousse, mais en nous voyant entrer il fait l'effort de se redresser. Quelques poils blancs sur son torse amaigri, un regard noir et intense. Une voix tremblante et une grimace de douleur. Mabinta et Maï, les deux sœurs d'Apéraw, veillent à son chevet et lui administrent à tour de rôle des soins rudimentaires. Maï doit s'abîmer les cordes vocales pour se faire entendre.

« Bouregh ! Bouregh est venu te saluer avec ses enfants. C'est Bouregh, tu le connais non ? Bouregh, le fils d'Abidjé. »

À Kagnarou on connaît mon père sous le nom de Bouregh. Après sa conversion à l'islam et son départ à Dakar il a changé de prénom et pris celui de Moustapha. Malgré tout, dans son village natal, les gens de sa génération et ses aînés continuent d'utiliser le prénom animiste.

Le vieux Sané reste là à nous regarder, il tient ma main quelques secondes dans la sienne et me prend pour un autre. La sueur commence à couler sur mon visage. Quand on m'a laissé seul dans la chambre du vieux Sané, je n'ai pas pu faire une phrase correcte en diola, trop paralysé par l'enjeu.

En fin de matinée, mes deux frères et moi sommes invités à aller voir l'avancée des cultures. C'est un passage obligé, presque un rituel. Maï et Mabinta ouvrent le chemin au milieu des épis de mil qui dans quelques semaines atteindront un mètre quatre-vingts. On marche en file indienne et en silence. Mon grand frère filme le paysage avec sa caméra. Des sauterelles dodues sautent d'une herbe à l'autre. C'est vert, c'est très vert. La bouteille d'eau glacée dans mon sac à bandoulière a eu tout le temps de se réchauffer. Les militaires sur la route de Casamance avaient été intrigués par ce sac. C'est vrai, il ressemble un peu à un étui à fusil. Au moment où je m'en rends compte, Maï s'arrête et trace des lignes sur le sol. « C'est ici même que votre papa a grandi. Mais aujourd'hui tout le coin là est mort. » Le village s'est déplacé. Aty filme et commente. Sur la vidéo on voit de la terre cultivée et des palmiers nains épineux. En face une grande termitière. Même si on me proposait un million je n'y mettrais pas les doigts.

Je marche dans les pas d'Apéraw. À mon âge il maniait le kadiandou et il l'enfonçait sans peine dans le sol pour retourner la terre, l'aérer et l'enrichir. L'outil agraire est lourd et grand. Jusqu'à deux mètres. Il s'utilise dans la boue des rizières. Un bon kadiandou est fait sur mesure, chaque tranche d'âge a le sien. La modernité, les tracteurs et les outils importés ne pourront jamais rivaliser.

Seyni, le cousin direct d'Apéraw, cultive la terre, il n'a pas perdu le respect des anciens, il n'a pas fui le travail ou alors s'il l'a fait, il est revenu quand il s'est intensifié. Ma tante apporte le repas du midi enveloppé dans du tissu. Aux quatre coins de la parcelle cultivée, on aperçoit des bancs surélevés tapissés de feuilles de rônier. Un chien guette le passage des singes qui pourraient venir gâter la récolte. Après le repas, Seyni et les autres iront faire la sieste sur les bancs. Apéraw tient son cousin en estime. Kagnarou n'a plus autant de bras qu'avant pour travailler la terre. Et pourtant, Seyni transmet son savoir-faire aux plus jeunes. Il dirige, distribue les tâches, construit les digues pour le riz et invective les paresseux. Il abat des arbres, il fait de son mieux. Quand il en a l'occasion, Apéraw le conseille. Son cousin est plus jeune, il est né au début des années 1970. La différence d'âge est grande, il pourrait être son fils. Plus ton champ est grand, plus on te respecte. Cette année ils n'ont pas dormi, ils n'ont pas blagué. Ils ont cultivé loin loin. N'eût été la pudeur, Apéraw le remercierait de perpétuer la tradition.

À l'époque où Apéraw était encore agriculteur, son père était le premier debout. Il disait : « C'est l'heure. » Et si les fils traînaient au lit, il revenait les réveiller avec un bâton. À Kagnarou, quand un enfant ne voulait pas travailler, on disait : « Celui-là il ne respecte pas son père. » Les amis s'occupaient d'appliquer la punition en accord avec la victime de l'affront. Ils attiraient le paresseux dans la forêt et une fois dans la brousse l'étau se resserrait. « Il paraît que toi tu ne respectes pas ton père, que tu es paresseux, que tu ne veux pas travailler. » Les cris n'arrivaient même pas jusqu'au village. Les coups de bâton pleuvaient sur la tête, les épaules et le corps du prévenu. Chetetet ! Des ecchymoses et des blessures partout. Nooon. Mauvais. L'éducation se faisait par le bois. Les concernés n'osaient même pas se plaindre.

Ils regardaient le père dans les yeux et se remettaient aussitôt au travail.

Du temps de avant-avant, les Diolas étaient asoninkés. Ni musulmans, ni chrétiens. Le mot asoninké était un sobriquet donné par les Mandingues qui se moquaient des fétichistes, ces grands consommateurs de vin de palme. Eux, du fait de leur contact avec les commerçants arabes, s'étaient convertis à l'islam bien plus tôt. Les asoninkés croyaient en Emitey, Celui qui est là-haut, par l'intermédiaire des fétiches. Emitey ne se priait pas, ne s'occupait pas des affaires des hommes. Il n'exauçait rien. Emitey était visible dans la réalisation des choses.

À la fin du XIXᵉ siècle, une guerre sainte, menée par le chef religieux mandingue Fodé Kaba, avait pénétré la région du Fogny, jusqu'aux portes de Kagnarou, mais n'avait pas pu entrer parce que *Kagnarou c'est un village trop sophistiqué.* Fodé assujettissait les populations de force. Certains, plutôt que de prendre les armes, avaient préféré s'enfoncer dans la forêt sans faire d'histoires. Les influences étrangères, européennes ou mandingues, n'étaient pas séduisantes pour les Diolas. Et le prosélytisme de Fodé avait fait long feu.

Une génération plus tard, une poignée d'hommes de Kagnarou avaient parcouru les villes et les villages jusqu'en Guinée afin d'étudier l'Alcoran auprès du grand Sékou du Sahel. À leur retour, ils jugeaient la religion du Prophète supérieure à toute autre forme de croyance. Doudou Sané, le père du vieux Sané, avait participé à l'introduction de la nouvelle religion à Kagnarou. Au début, on l'avait regardé de travers. Il se prenait pour qui ?

C'est pas parce que tu es allé loin que tu connais mieux que nous.

Doudou avait appris deux trois mots d'arabe et ça y est il se prenait pour le saint des saints. Personne à Kagnarou n'écoutait son charabia.

Par la suite, le commerce grandissant de l'arachide et la pression des troupes françaises ont poussé les asoninkés à s'entendre avec les Mandingues. Progressivement, et malgré une résistance farouche, l'islam et Allah ont bâti leurs temples dans la brousse. Impossible de manger du cochon ou du sanglier tranquillement sans qu'on leur rappelle le caractère haram de la viande. Les convertis n'avaient même pas encore digéré la viande infâme. La conversion c'était, paraît-il, l'occasion de se repentir, de ne plus vivre comme des enfants. Les fétiches et le vin de palme ont été confiés aux Manjaks et les derniers cochons vendus à prix cassé aux gens de Diembéring. Eux savaient monter aux palmiers à la force des bras. Ils se sont précipités à Kagnarou.

Mon père nous a demandé si on voulait apprendre l'arabe. Il a forcé personne. Il a dit on a le choix nous on a dit on est d'accord.

Des écoles coraniques ont été construites à la hâte et Apéraw passait des heures à chanter La ilaha illallah. Il s'agissait désormais d'avancer dans la même direction, de s'en remettre à La Mecque. Seuls les plus jeunes étaient concernés. Les kounifaanaw se méfiaient et blasphémaient à voix haute. Dans quelques années il n'y aura plus personne pour verser les libations dans les bois. Vous allez perdre le sens de l'orientation. Les gens vont mourir sans comprendre pourquoi. Vous allez voir. L'islam n'est jamais parvenu à rentrer entièrement dans le corps d'Apéraw. Il y est entré et en est sorti plusieurs fois. Musulman en surface mais asoninké en profondeur. Emitey, mon frère.

La pluie tombe à grosses gouttes sur la toiture en zinc et vient rapidement former une grande flaque d'eau. Au loin on voit arriver le ciel chargé de gris et le vent de pluie. Je n'ai pas vu le temps passer. Lorsque j'observe mes cousins et mes aînés, mes tantes et mes oncles, je suis tiraillé entre la jalousie et le respect éternel. J'espère un jour pouvoir leur ressembler. Qu'ils me considèrent comme leur égal. Leur présence et leur accueil m'aident à retrouver les images disparues. Malheureusement la transmission a été perturbée. Mes efforts et mes tentatives pour y remédier sont ridicules. Quel lien y a-t-il entre eux et Apéraw ? Je le connais parce qu'il me raconte des choses. Eux l'ont vu vivre et grandir, ils l'ont vu dans les épreuves, les difficultés et l'action. Ils sont le chaînon manquant. Les plus jeunes le reconnaissent comme un des leurs, Apéraw appartient désormais à la classe des kounifaanaw. Les années d'usine n'ont jamais effacé les paysages de la brousse dans ses yeux. Combien de fois ses bras ont-ils manié le kadiandou ?

Un homme fait irruption et se réfugie sous le porche de notre maison. Ses vêtements sont trempés. Il sort de la forêt et porte une biche sur son épaule. Le ton monte, Maï et Mabinta reculent à l'intérieur, Apéraw sourit. S'ensuit une discussion dont je parviens à saisir quelques mots. Il est bon tireur mais cette biche, il ne l'a pas chassée, non. Elle était déjà morte et il veut nous l'offrir, mais les autres lui demandent de s'en débarrasser pour ne pas répandre de maladies ici. Une époque est révolue.

Du temps de avant-avant, on mettait le feu à la forêt. Les animaux en fuyant les flammes étaient piégés par les chasseurs postés en embuscade. Le soir dans les bols, on mangeait la viande de l'animal qui avait bien voulu se faire tuer. Des biches, des singes, des phacochères, des porcs-épics ou des hyènes. Le mot haram n'était pas encore dans les bouches. Les hyènes tuaient les chèvres et les chasseurs tuaient les hyènes.

Ça on mange mais c'est rare. Quand on tue tout le village vient goûter. C'est ça qui donne la force. Avant chez nous les vieux ils mangeaient emoundougeuh, la hyène. C'est pour ça ils ont jamais été à l'hôpital.

Les kounifaanaw goûtaient les premiers à la viande. Ils disaient : « On va goûter, si on tombe vous mangez pas. » Et ça marchait, les bonnes intentions rendaient la nourriture comestible. Un chasseur pouvait attendre une proie toute la nuit. Et si la nuit dans les arbres ne donnait rien, il leur restait une chance : celle de croiser la route d'un animal mort.

Ce qui est mauvais c'est pas ce que tu manges, ce qui est mauvais c'est la bouche.

Apéraw a pris ses distances. Les amis sont morts comme des chiens. Les jeunes n'ont pas écouté les recommandations. Ils ont commencé à déconner. Ils ont abandonné trop de coutumes. S'ils avaient continué de suivre les conseils des kounifaanaw, le village aurait marché droit. Beaucoup de choses lui ont échappé depuis qu'il s'est installé en Europe. Apéraw ne peut plus regarder Kagnarou en face.

Le taxi nous a feintés. Il n'est pas revenu nous chercher. Nous allons passer la nuit à Kagnarou. La porte de la chambre est maintenue par un fil de fer enroulé, un assemblage trop léger qui n'empêche pas le vent de la nuit de l'agiter et de la faire grincer. Je partage une planche de bois de rônier avec Seyni et mes frères. Les moustiques bourdonnent à mes oreilles. Je les sens quand ils se posent sur ma peau, mais tenter de les chasser demande trop d'énergie, alors je me laisse piquer. Il fait chaud, je ne suis pas capable de penser à autre chose. Se retourner plusieurs fois sur le bois n'aide en rien, impossible d'avoir la paix. Les arbres dorment, les feuilles d'ékangouley sont recroquevillées pour la nuit.

Je repense aux histoires de ma cousine Nafi. Quand j'étais petit, elle venait passer le week-end chez nous à Aulnay-sous-Bois. Elle nous racontait des histoires sur le bled. On l'écoutait, jamais sûrs de tenir jusqu'au bout tellement on avait peur.

« Quand vous allez parler à quelqu'un, faites bien attention à ses pieds. Des fois le visage c'est humain mais les pieds c'est des pieds de cheval ou de porc. Y a trop de choses bizarres au bled, j'vous jure ! Vous les garçons faut faire attention avec les filles. »

Et quand on demandait pourquoi, elle disait : « Parce que des fois tu dragues des femmes tu crois elles sont réelles mais en fait elles sont mortes depuis looooongtemps. »

Et on criait : « Non ! » Et elle continuait : « Walayi Bilayi ! J'vous jure. Au bled y a trop de trucs bizarres, surtout en Casamance là. Vous vous savez pas. »

C'est vrai, on ne savait pas. Nafi était un peu plus âgée que nous. Elle avait grandi trop vite. Elle avait du caractère, elle pouvait s'asseoir à la table des adultes. Un peu jeune pour les grands mais un peu vieille pour nous, pas assez cependant pour l'appeler tata Nafi.

Le bois et les termites nous tombent littéralement sur la tête. Cette activité bruyante dure toute la nuit. Je commence à me demander combien de temps la maison va tenir avant de s'effondrer. Je viens de me faire piquer par une sale bête, un scorpion si ça se trouve. Je vais sans doute mourir là où Apéraw est né. Mes pleurs se perdent dans la nuit, personne ne veut les entendre. Je ne pardonnerai jamais à Aty et Koto de s'être endormis avant moi. Je ne peux pas aller me réfugier auprès d'Apéraw. Je n'ai pas assez de courage pour marcher seul à une heure pareille dans une direction inconnue. Et il se mettrait en colère, il aurait honte de son fils. À coup sûr il dirait, *C'est quoi ça hein ? Y a rien là-bas.*

Il me raconterait encore la même histoire, l'époque où l'éducation visait à soustraire des cœurs la peur de la forêt. L'histoire était simple. Les aînés invitaient les plus jeunes dans la forêt de Boutolate pour poser des pièges à lapins.

« Bon maintenant on est bien enfoncés dans la forêt, vous allez faire caca plus loin pour attirer les lapins. »

Les enfants s'exécutaient. Chacun choisissait son coin. Quand ils se retournaient, les grands n'étaient plus là. Les salauds ! Quelle mauvaise blague de les laisser ainsi livrés à eux-mêmes en pleine forêt ! Les traîtres. Les enfants mettaient plusieurs heures à retrouver le chemin du village. De retour chez eux, on leur laissait à peine le temps de sécher leurs larmes. Au lieu de les consoler les adultes les « chicotaient bien bon ». Sur leur visage ce n'était pas de la haine ni de la colère. Ils étaient calmes, ils faisaient les choses par nécessité.

« Si tu as peur de la forêt, toi tu peux pas devenir un homme. Le Diola il peut pas avoir peur de la forêt, si tu as peur comment tu vas faire pour vivre ? »

Les adultes corrigeaient les enfants pour les libérer de toute peur, voilà la nuance. Le lendemain, dès l'aube, les enfants retournaient lutter en pleine forêt.

Au matin, ma tante nous rase la tête avec une lame de rasoir. Plus aucun poil sur le caillou. Les touffes de cheveux tombent, elle répète : « Je suis ta mère. Je suis ta mère. » Et une larme de sang coule le long de mon visage. Je n'ose pas l'esquiver. Nous sommes restés deux jours et une nuit à Kagnarou. C'est bon, les présentations ont été faites, les enfants d'Apéraw ont été introduits, ils pourront revenir seuls. Nous allons passer la suite des vacances à Bignona.

Tout le village vient nous dire au revoir. Seyni traduit les recommandations des kounifaanaw. L'assemblée ponctue chacune des phrases par un Yooo, comme pour appuyer l'importance de ce qui est dit.

« C'est un grand honneur pour nous de vous avoir reçus. Votre père est né ici, votre mère est née ici. Ici c'est votre maison. Essayez de vous rapprocher de votre famille, prenez soin des vôtres. Ça nous touche vraiment beaucoup beaucoup que vous soyez en

France et que vous pensiez à nous. Vous n'imaginez même pas comme ça nous honore. Vous auriez pu vous arrêter à Dakar mais vous avez fait tout le chemin pour connaître vos parents. Merci. Vraiment, merci merci. Essayez de donner de vos nouvelles de temps en temps. Ça suffira. Si vous allez bien là-bas nous aussi nous allons bien ici. Écoutez bien vos aînés parce que même si vous ne gagnez rien, vous ne perdez rien non plus. Les coutumes diolas sont très importantes. N'oubliez jamais qu'avant tout nous sommes adjamaats. Ce sont les Mandingues qui nous ont donné le nom de Diolas. Qu'Emitey vous accorde une longue vie (Amin Amin), Qu'Il fasse que vous réussissiez à l'école (Amin Amin). Qu'Il vous donne beaucoup beaucoup d'enfants (Amin Amin). Voilà maintenant vous pouvez partir mais il faudra revenir nous voir. Que vous le vouliez ou non, même si vous habitez en France, votre village c'est Kagnarou. »

Amin Amin.

Koto et moi passons l'été à monter dans le camion-benne jaune, siglé *Compagnie Diémé & Frères*. Apéraw l'avait acheté des années plus tôt mais la livraison de sable et de cailloux ne lui ayant rien rapporté, le camion s'est enfoncé dans le sol. Après ce premier échec, il n'a eu qu'une seule idée en tête : construire des maisons. Il ne resterait pas éternellement en France et son investissement pourrait bénéficier à ses enfants un jour. En 2001, les maçons creusent les fondations et préparent les briques d'une deuxième maison, juste en face de la première achevée à la fin des années 1980. Des camions versent du sable et des cailloux tous les jours. Apéraw participe aux travaux. Les voisins l'interpellent : « Patron faut te reposer un peu », mais mon père répond sèchement : *Non non non faut pas m'appeler comme ça ! Moi je suis pas un patron moi. Attention hein. Personne m'a aidé à cultiver. J'ai cultivé moi tout seul. Laissez-moi tranquille.*

Koto découpe les ailes des mouches. Il les dépose devant les multiples trous habités par des fourmis dans les murs de la maison. Il a développé une technique imparable. D'abord, il faut attendre que les mouches se posent sur le carrelage ou la chaise en plastique, puis les guetter tel un prédateur. La main s'ouvre alors rapidement, avant de se refermer sur l'insecte. En la secouant on sait si le coup a marché, sinon il faut recommencer. Koto attrape les mouches à mains nues, il les secoue et quand elles sont étourdies, il les jette au sol. Ça fait un bruit sec. La dernière étape c'est de leur arracher les ailes et de les livrer aux fourmis. J'aime voir comment les fourmis traînent leur victime, les unes derrière les autres. Apéraw se moque de nous voir y consacrer autant de temps et d'énergie. Lui ne ressent aucune gêne quand les mouches gambadent sur ses plaies, aucun chatouillis sur la plante de ses pieds ou les commissures de ses lèvres.

Aty vient de souffler sa vingt-troisième bougie, il a des affaires plus sérieuses. Les gens de son âge vont au bar Le Jardin et rentrent au petit matin ivres de bière Gazelle.

À Bignona les parents profitent des vacances estivales pour circoncire leurs fils. Tous les jours après le repas, on se rend dans les maisons où un enfant a été circoncis, dans l'espoir d'y croiser un kankourang. Dans la cour, on entoure l'enfant. Il porte une robe blanche, il se déplace les jambes arquées car le frottement des vêtements est encore trop douloureux. Il a peur, le mal est passé, les aînés ont déjà retiré le prépuce, mais la crainte du kankourang dépasse l'entendement.

Il nous faut quelques jours pour mémoriser les chants mandingues qui accompagnent la sortie du kankourang. Koto prend les devants. Il en entame un, bientôt repris en chœur par les copains. Le kankourang, escorté par des jeunes en furie armés de branches, n'est pas loin. Son cri aigu et le bruit du coupe-coupe font déjà naître les pleurs du jeune circoncis. Un cri égale un sanglot. Deux cris stridents provoquent des sanglots à l'infini. Les issues sont bloquées, les murs de pierre sont insurmontables. En dernier recours, l'enfant cherche sa mère mais il doit se comporter en homme maintenant. De toute façon, avec pareille mutilation, impossible de prendre la fuite. Plus les cris approchent, plus on élève la voix. Le kankourang et ses accompagnateurs font un sérieux boucan dans l'enceinte de la maison. Le kankourang agite dangereusement ses coupe-coupe, les aiguise sur le sol en ciment, crie en même temps qu'il fend l'air. C'est comme ça qu'il éloigne les esprits malfaisants du jeune initié. Le circoncis est plein de morve, il ne sait pas se tenir, il fait pitié à demander pardon, aucune fierté. Le kankourang exécute encore quelques pas de danse puis s'en va terroriser un autre malheureux dans une maison plus loin. Nous restons là, Aty et moi, stupéfaits par ce spectacle.

Moi, je suis circoncis mais je l'ai été sous anesthésie générale. Petit joueur, va. Apéraw n'a pas oublié la douleur de l'opération dans la brousse.

Le soir, la pluie recommence à tomber. Je place un gobelet sous la toiture. Pendant ce temps Koto aiguise un coupe-coupe. La lame chauffe le rebord de la fenêtre. Il en enveloppe le bas d'une bande en cuir pour mieux la manier ensuite. Le résultat est plus que satisfaisant. Je me dispute avec Koto pour savoir qui de nous deux aura le privilège de jouer le rôle du kankourang.

Le gobelet est plein, je le porte à ma bouche. L'eau est fraîche, légèrement acide, comme celle de Kagnarou.

44

Moi, mon numéro c'est 44.

Quand il est question de donner sa date de naissance pour des raisons administratives, Apéraw lève
les yeux et me regarde. Il se cache derrière moi et me
laisse le soin de répondre et de clarifier sa situation.
Je dois remplir un formulaire, ça casse les couilles de
répéter la même histoire à des gens que je ne connais
ni d'Ève ni d'Adam. Apéraw a l'habitude des longues
files d'attente à la préfecture de Bobigny. Il retire
un ticket et patiente comme les autres. Lorsque les
candidats à la naturalisation sont enfin autorisés à
communiquer, ils déposent d'abord leur numéro sur
le bureau, leur façon à eux de se présenter. C'est
comme ça qu'Apéraw a développé son obsession
pour les chiffres.

Il dit *mon numéro.* Cependant, il le sait avec assez
de lucidité, *44* ne lui appartient pas. Il s'en explique
dans de longues réflexions philosophiques. Rien de
légitime dans cette date. Le temps ne peut appartenir

à une seule personne. Il se partage et se traduit dans toutes les langues.

C'est quoi mon âge, à moi ?

« Cette année t'as 70 ans. »

70 ans c'est beaucoup ?

On ne fête jamais son anniversaire à la maison, ni le nôtre d'ailleurs. Apéraw ne connaît pas les dates de naissance de ses enfants. Il invoque Mitterrand et Citroën pour ma naissance, de Gaulle pour son arrivée en France, Senghor pour son arrivée à Dakar. Je me sers de ces indicateurs pour construire son histoire. À Kagnarou, le temps répondait à une organisation bien différente des impératifs de la préfecture de Bobigny. On situait une année selon la cérémonie du rite initiatique de tel ou tel village. Par exemple on disait : « Sa mère est décédée avant le *futampaf* de Balinghor », ou « Il est né vers l'année où les gens de Diagobel sont entrés au bois sacré ».

On savait quand la saison des pluies approchait et quand les arachides étaient parvenues à maturité.

1944 est une invention pure. Mes recherches, les événements qu'il a vécus, la vie de son père, tout porte à croire qu'il est né plus tôt. On lui a attribué cette date peu avant son départ pour la France. L'administration lui a demandé son âge, ce à quoi il a répondu par un haussement d'épaules. « À votre gueule, monsieur, je dirais que vous avez autour de vingt-cinq pluies. » Quelque chose comme ça.

Ce n'est pas sérieux de ne pas avoir de date de naissance, on ne peut pas entrer dans les fichiers. Il faut des matricules, des chiffres sur les dossiers de demande d'immigration, par exemple.

« Allez, va pour vingt-cinq pluies, vous êtes mûr pour le travail. »

Sur sa carte nationale d'identité, Apéraw est né le 31/12/1944. Mais les autorités ne se mettent pas toujours d'accord. Sur d'autres documents, il est né le 08/04/1944 ou le 00/00/1944. Ces numéros, il les joue au Loto et au tiercé. S'en fout de savoir si le cheval est sur la ligne de départ ou pas. Il rentre à la maison avec un bulletin et nous demande d'inscrire nos numéros. Dans ses songes, Apéraw voit des nombres, il se lève en pleine nuit et les note comme il peut. Ces rêves n'ont jamais été prémonitoires.

Je prends toujours le combiné pour parler au nom du père. Je me souviens de tous mes échanges au standard. Pour débloquer une carte SIM ou pour avoir des informations sur son compte bancaire. Parfois les choses se compliquent, la date annoncée pour authentifier l'appel n'est pas celle qui figure sur le dossier.

« Je ne sais pas moi, 31 décembre, essayez 31 décembre. 1er janvier. 8 avril. Vraiment je ne sais pas, madame. Je ne sais pas quelle date on vous a donnée, ça je m'en souviens pas. »

J'ai la haine. J'ai envie d'exploser le téléphone contre le mur. Elle répète les phrases de sa supérieure, elle respecte les ordres. Une vraie machine.

« Monsieur je suis désolée, je ne peux rien faire pour vous. C'est la règle, c'est pour des raisons de sécurité. Passez-moi votre père.

— Mais mon père ne parle pas bien français.

— Je suis navrée. »

Ah ouais. Elle fait mal à la tête. Je vais péter un câble, mon père hurle par-dessus mon épaule. *Madame moi mon numéro c'est 44.* Je me mets à bégayer. Je transpire à cause d'elle. Pire ! la femme à l'autre bout du fil n'a vraiment pas l'intention de nous faire une faveur. À quoi ça sert de lui raconter l'enfance d'Apéraw dans la brousse, les accouchements dans la forêt avant l'arrivée des Blancs ? Mes explications ne valent rien, elle a les oreilles trop sales.

Gros Saule

En 1985, Lecléon, le jeune frère d'Apéraw, débarque en France dans son costume noir. Lunettes sur le pif, dégaine de thésard, il a déserté l'armée sénégalaise. Lecléon est accompagné de sa femme et d'une petite fille de cinq ans. La vie à Dakar ne leur a pas fait de cadeaux. Apéraw ne les avait pas sentis en très bonne forme lors de sa dernière visite, un an plus tôt. À plus de trois mille kilomètres, il était impuissant. Qui d'autre pouvait les aider, à part lui ? *Faut bien tenir la famille,* on laisse pas un frère en chien, question de principe.

En grand frère qui fait bien les choses, il lui trouve un emploi et les installe dans son appartement aux 3000. Dans la foulée, mes parents obtiennent leur crédit immobilier. Le timing est parfait, les signaux sont au vert. Ils prennent rendez-vous avec un notaire et le propriétaire, rue des Capucines près de l'Opéra, et signent une promesse d'achat. Ils s'entendent sur le prix de la maison.

Apéraw dit *Neuf millions de francs*.

Neuf millions de francs, anciens ou nouveaux, malgré tout le respect que j'ai pour la Seine-Saint-Denis et Apéraw, je crois que ça fait beaucoup. On parle d'une villa sur la Côte d'Azur avec vue sur mer ? Est-ce qu'il y a une piscine ? Les robinets sont en or ? Non. Je peux me tromper mais je pense qu'à partir du quatrième zéro, Apéraw ne remarque plus ceux qui sont derrière, et moi non plus. Sur le papier c'est marqué en chiffres, en lettres peut-être que les choses seraient perçues différemment, mais le propriétaire a rédigé sa promesse de vente avec son pied. Je ne vois pas de différence entre 900000 et 9000000. Argh ! voyez par vous-mêmes, sans les espaces ça fait un sérieux billet, non ? Apéraw et Iña versent un premier acompte, paraphent des tonnes de papiers, s'engagent à rembourser le crédit sur vingt ans.

C'est un pavillon mitoyen avec jardin situé au Gros Saule à Aulnay-sous-Bois, à deux pas de Sevran. Un quartier sorti de l'anonymat grâce à la visite en 1997 du prince Charles, quelques mois avant la mort de la princesse Diana sous le tunnel du pont de l'Alma.

Au Gros Saule, chaque groupement de rues a un surnom. Nous habitons à la cité des Renois, un ensemble constitué en copropriété, situé au pied d'une colline, entre l'épicerie La Ruche et le cabinet du docteur. La colline nous sépare de la cité des Chiens, une zone où vivent des familles plus distinguées. Notre maison est en pierre grise, contrastant avec le rouge vif de la porte, les vilaines gouttières descendent jusqu'au bac à sable qui sert de coin pipi pour les chats errants. Tout sauf l'image d'Épinal d'un bon pavillon français. On partage le bloc de béton avec une autre famille. Chacune occupe deux niveaux. La maison est organisée de telle sorte que pour accéder chez eux, les voisins du dessus doivent traverser notre salon. Ça crée des situations farfelues. Par exemple, Iña peut regarder sa série télévisée préférée et paf ! voir le fils des voisins déambuler sans pression aucune pour rejoindre l'étage supérieur. Convaincu d'être invisible. Même le dimanche, en plein thieboudienne ! Il traverse la salle à manger, tranquille. Après les travaux, un escalier extérieur a renvoyé chacun chez soi.

Apéraw passe de la cité des 3000 à ce qui, pour lui, représente une avancée sociale. Son chef à l'usine Citroën lui avait conseillé d'acheter. C'est mieux de mettre sa famille au chaud, être locataire toute sa vie c'est un truc de galérien. Cinq pièces principales, des toilettes à chaque étage, 104 mètres carrés. Neuf millions. Neuf, comme le nombre d'enfants. Un million par enfant, parents offerts. Pour le reste, on se débrouillera. On dormira les uns sur les autres, on rentrera dans le cadre.

La cité des Renois s'appelle de façon plus officielle la résidence des Cornouillers mais ça claque moins, c'est nul et ça veut rien dire. Les pavillons de l'autre côté de la colline sont plus beaux, plus spacieux. S'ils n'existaient pas, nous ne nous serions jamais considérés comme moins avantagés. Ces gens, parce qu'ils ont un garage, deux voitures, des arbres fruitiers, un jardin avec une tondeuse et un « attention chien méchant » sur leur porte, nous mettent mal à l'aise. On les appelle « les riches », « les bouffons », et disons-le tout de suite, « les Blancs ». Désormais nous nous comparons à eux. Toutes nos phrases commencent par « Les Blancs eux ils ont » : « Les Blancs eux ils ont des vêtements, ils les portent une fois, après ils les jettent », « Les Blancs eux ils ont une maison à la ville et une maison à la campagne ». Nous, nous n'avons pas conscience d'être des privilégiés dans l'organisation du quartier. Nous sommes dans l'entre-deux, dans l'antichambre d'une vie normale. Il n'empêche, ce n'est pas le même monde des deux côtés de la colline, entre eux et nous il y a une classe d'écart. Les aboiements des chiens nous le font comprendre.

Mon père a rencontré ma mère en échangeant une correspondance avec elle, mais rien à voir avec le style épistolaire des romans à l'ancienne. Leur histoire à eux était plus directe, sans tralala. Apéraw recevait régulièrement des lettres de Lecléon resté au pays. Il lui parlait des moustiques qui fatiguent toute la nuit, de la chaleur qui fatigue. Il le vouvoyait par écrit et finissait par des formules du genre : « Je vous sers cordialement la main. Ton dévoué frère », etc. Dans une de ses lettres, Lecléon a glissé un jour la photo d'Iña. Au cas où. On ne sait jamais. Mais il avait quand même ajouté : « Si ça vous intéresse, elle peut devenir votre femme. » Il avait déjà tout arrangé, le petit, il était bon. Une fille bien. Walayi. Qu'il lui fasse confiance. Iña était de Kagnarou Fengho mais n'avait jamais eu l'occasion de côtoyer Apéraw. Déjà parce que Kagnarou c'est un grand village, quoique les quartiers de Fengho et Fatiay soient distants de moins d'un kilomètre, secundo elle

53

était jeune au temps de avant-avant. Je me demande là en écrivant comment Apéraw a fait pour répondre aux lettres. Il n'a pas été à l'école, ça je le sais, quelqu'un traduisait et écrivait à sa place, mais je veux dire comment il s'est débrouillé pour la convaincre de le rejoindre en France. Ça demande d'avoir du verbe, de la jugeote. Des bons traducteurs aussi et un gars sûr. On confie pas une mission aussi importante au premier venu. Et on a tous déjà vu ou entendu des mecs se faire griller la priorité. Je n'ai pas posé la question, ça ne m'intéresse pas. Ce qui est sûr c'est qu'en 1972, ils ont officialisé leur union à la mairie de Ziguinchor. En 1974, Iña a bénéficié de la loi sur le regroupement familial et est arrivée en France. Un an plus tard, elle a accouché d'un premier garçon. Après la naissance du deuxième enfant, Apéraw a pris une décision et demandé à Iña si elle était d'accord. Il lui a fait promettre de ne pas en parler. Il avait remarqué des trucs louches à l'hôpital. Les gens étaient bizarres en France. Ils faisaient trop de piqûres.

J'ai remarqué maintenant. Eux ils croient nous on est cons. Si on reste là ils vont nous finir.

Désormais elle accouchera dans une autre clinique.

En 1985, au moment où ils emménagent dans leur pavillon, ils ont cinq enfants. En 1986, Apéraw prend une deuxième épouse, Iña l'y encourage, il la fait venir en France. Un enfant naît en juillet 1987, deux autres en 1988 à trois mois d'intervalle (la réalité africaine fait des prouesses). Et enfin moi, aleumouko, le dernier, venu au monde à Aulnay-sous-Bois en 1990. Si on compte bien, en tout ça fait neuf enfants, non ? Ou bien ? J'espère n'avoir oublié personne. Trois parents et une seule famille, les expressions comme même père même mère, demi-frères, sœurs trois quarts, frères consanguins on ne connaît pas. Au supermarché ED (Apéraw prononce *Aide*), les clients dévisagent notre caddy et se laissent aller à des commentaires sur le nombre de bouches à nourrir. Waw. Circulez circulez. On n'est pas des bêtes de foire.

Iña est femme de ménage à l'aéroport de Roissy, comme la plupart des mères à la cité des Renois. J'ai demandé un jour à mon père le métier de la femme de Lecléon. Il m'a répondu avec le ton qu'on prend pour répondre aux questions bêtes. *À ton avis ?* Suivi d'un geste de profond mépris. Les schémas se ressemblent à la cité. Familles nombreuses, lits superposés, grosse ambiance, père ouvrier, deux épouses et mères femmes de ménage. Je n'ai pas la force de compléter l'équation.

Un soir, Iña rentre à la maison contrariée. Elle fait tout pour le cacher mais Apéraw la connaît. Quelque chose ne va pas. Elle mange pas bien son riz. Elle se met à parler. Un homme a levé la main sur elle à son travail. *Quoi !?* Apéraw bondit de son fauteuil, il

55

laisse tomber le tabac de sa pipe. *Qui t'a frappée ?* Iña minimise les choses devant la réaction violente de son mari. En même temps c'est normal, quelqu'un a levé la main sur sa femme, il ne va pas rester là les bras croisés.

Le lendemain dans le train qui emmène Apéraw à Roissy, ses voisins de siège maintiennent une distance de sécurité raisonnable. Il respire la violence, il a la mâchoire carrée et il parle dans une langue inconnue. Il secoue la tête, soupire. *Si je tombe sur ce salopard, je vais le tuer. Aujourd'hui ils vont m'entendre.*

Amenez-moi celui qui a frappé ma femme. Je veux qu'il me montre comment il s'est débrouillé pour la frapper. Je veux si c'est un homme qu'il me montre quelle position il a pris pour la frapper.

Il fait quelques pas de côté et se met en garde, la rage dans la gorge. L'homme en face de lui n'est au courant de rien. Il n'a jamais vu Apéraw de toute sa vie, n'a jamais prêté attention à cette femme de ménage. Pourtant depuis des années, à raison de huit heures par jour, Iña respire à pleins poumons l'odeur des produits ménagers. Parfois en réunion, un collègue se plaint de poussières oubliées, d'un pot à crayons déplacé, de poubelles non vidées. Les femmes de ménage font mal leur travail nanani nanana. Et en plus ces Noires, on a beau leur expliquer, elles pigent walou.

Amenez-moi celui qui a frappé ma femme.

Pour le frapper comme on frappe un sac de boxe. Apéraw gesticule et fait du boucan. Il demande à avoir un entretien privé avec ce gars, à l'abri des regards. Un combat d'hommes, un contre un, que personne ne sépare. Refus. Le patron tremble. « Je ne veux pas que vous lui fassiez du mal. » Il s'excuse en son nom. Pendant ce temps, dans son dos, le responsable des coups sur Iña prend la fuite en douce.

Apéraw revient le lendemain, encore pour rien. Les jours suivants, pareil, le fumier se cache. Il prend des congés, le temps que l'histoire se tasse. Des congés pour ne pas avoir à se prendre des ITT. Heureusement. Apéraw lui en aurait mis au moins trente.

À partir de là, mon père commence à nous armer et à nous endurcir pour notre bien. À l'étage, il encourage ses fils à faire des pompes et des extensions, les mains posées sur le lobe des oreilles.

Flexion, extension. Flexion, extension. Allez pompez, faut pomper.

La chambre devient une véritable salle de sport. Équipée comme jamais, avec des haltères et une table de musculation pour les plus grands, une table qui sert aussi à recevoir les coups de ceinture dans les heures sombres. Apéraw nous apprend à nous mettre en garde, à boxer, à maîtriser l'ennemi au sol.

Yancouba toi tes bras ils sont trop petits. Tu es grand maintenant, faut faire le sport.

Malheur à celui qui se plaint d'avoir été malmené à l'école.

Faut pas que les gens vous dominent. Pendant que vous dormez les autres vous dominent.

Avec jubilation, on reçoit l'autorisation officielle d'en venir aux mains pour obtenir le respect.

Moi et votre tonton, depuis qu'on est tout-petits on s'est jamais jamais battus !

Il dit cela en agitant un doigt surmonté d'un ongle démesuré quand la situation dégénère entre nous dans le jardin. Les réprimandes qui s'ensuivent nous incitent à diriger notre force vers l'extérieur. Les entraînements et conseils d'Apéraw solidifient les liens fraternels. Une bagarre et tous les frères s'en mêlent. C'est une des particularités à la cité.

Je ne me souviens pas avec précision des années au Gros Saule. J'étais trop souvent dans les pagnes d'Iña. Ma mémoire me fait défaut. Ou alors cela me revient par petits bouts. Je suis capable de me rappeler des faits infimes mais pas de reconstruire une histoire. Elle est parcellaire. Apéraw est assis confortablement dans un fauteuil, dans le salon, il fume sa pipe.

Notre maison présente une façade sur la rue et une autre sur un jardin, mais il n'y a pas de cerisiers, pas de pruniers, pas de balançoires, ni de garage ni de voiture. Seulement un petit carré avec de l'herbe en mauvais état et de la menthe. Les buissons ne sont jamais taillés. L'entrée du jardin est une sorte de voûte feuillue, elle était déjà là lors de l'emménagement en 1985. Pour échapper à la vigilance des parents au-delà du couvre-feu, on passe par là. Les épines nous griffent les hanches. Ça nous arrive souvent de détaler avec à nos trousses un chien de garde des zones pavillonnaires qui nous poursuit jusque chez nous. On explique tout essoufflés à Iña et Apéraw : « Les chiens là-bas on dirait qu'ils aiment pas les Noirs. Dès qu'ils nous voient, ils nous coursent. » Apéraw les chasse. Les chiens se méfient de cette force invisible qui émane de son corps.

Le rêve c'est d'avoir une piscine. Mes grands frères en avaient fait la demande auprès d'Apéraw. Il leur avait dit, *Oui oui c'est possible*. Nous, la génération suivante, nous le harcelons pour qu'il fasse construire une piscine et une cabane au milieu du jardin. Une bonne fois pour toutes.

Bientôt, bientôt. On va construire une piscine comme les Blancs. Les Blancs eux ils en ont une maison, un jardin, une piscine, une voiture. Ils en ont même un bateau.

Les Blancs sont soit des sorciers, soit des escrocs. Sinon comment expliquer qu'en une seule vie ils puissent s'offrir deux maisons avec un jardin, une voiture, une moto et même un bateau ?

S'il est prêt à débourser neuf millions de francs pour la maison, Apéraw peut sortir du coffre quelques francs supplémentaires pour la construction d'une piscine. Nous pourrons aider à creuser un trou de plusieurs mètres de profondeur. C'est possible avec les outils du cagibi, rangés dans la boîte verte pesant l'équivalent de deux sacs de riz. Des clés de toutes les formes et de toutes les tailles. Les efforts seront fournis et tous les sacrifices consentis pour mettre en place la vie de rêve. À quoi bon avoir un jardin si on peut pas y construire une piscine ? Une vraie piscine, pas un truc gonflable. Une piscine comme dans les séries américaines, avec une échelle pour entrer et sortir du bassin, une eau à 25 degrés, un sol carrelé. À l'abri des buissons qui entourent le jardin, personne ne pourrait nous voir. Nous passerions nos journées à nous éclabousser d'eau bleue, à pousser des cris avant de faire des plongeons. On s'imagine avec nos camarades, nos cousins des 3000. Ils viendraient passer quelques jours de vacances chez nous. On leur montrerait c'est quoi la vie.

Plus de temps à perdre. Creuser. Quelque part dans le jardin.

L'été 1996. L'été où les choses se gâtent encore une fois et pour toujours. On a un problème. Un problème de sanitaires. Les toilettes de la maison débordent à chaque étage depuis le matin. Quand on tire la chasse d'eau, ça déborde. On nous a fait un sale coup, comme si la merde des autres était restée là à attendre dans les tuyaux. C'est tombé sur nous. Apéraw porte un marcel blanc. Iña court chercher un seau. Elle a enfilé des gants en caoutchouc, un chiffon lui couvre la bouche et le nez. Bientôt l'odeur se répand dans toute la maison. Impossible de se défiler. On voit déjà les gens chercher à éviter la cité des Renois à cause de la puanteur perceptible depuis le collège Pablo-Neruda.

Non. Tout ça c'était trop beau. On pouvait se vanter d'avoir une grande maison avec des cabinets à chaque étage. Des conneries ! Comment pouvait-on en être si fiers ? Ça nous aura bien servi au final. L'odeur devient insoutenable. Les mouches tourbillonnent, se dirigent vers le lieu sacré dans la chaleur estivale.

On creuse un trou à l'endroit prévu initialement pour la piscine et on y fout toute la merde du monde entier. À l'endroit exact d'où, quelques années plus tard, on essaiera de regarder l'éclipse totale avec nos yeux nus. Les mouches sont de plus en plus nombreuses. Apéraw fait son possible pour empêcher la chiasse de sortir. Des grandes vagues de liquide s'entrechoquent au fond des toilettes. On apporte des seaux, les uns après les autres. Apéraw en a plusieurs sur ses épaules. Il a de la merde sur son marcel et sur la barbe. On creuse en profondeur, à grands coups de pelle, le tombeau de la merde. La merde du quartier, de la ville, du sale département. La merde du nord, du sud, de l'amont, de l'aval. Tout ça à cause des séries télé qui nous servaient des mensonges, du matin au soir, à propos d'un monde auquel on ne pouvait pas appartenir.

Quand je repense à cette aventure, j'entends résonner le générique de *Dallas* : « Dallas, ton univers impitoyable... Dallas... glorifie la loi du plus fort. »

Août 1997. Le soleil se couche derrière la colline. Le RER découpe le paysage en deux. Avec nos bras frêles nous essayons de lancer des cailloux sur la diligence. Le téléphone sonne. Il fait tard, minuit peut-être, à cette heure il faut se préparer au pire. Une voix à l'autre bout du fil pleure le décès d'Iña. C'est terminé. Elle ne reviendra pas de son dernier séjour à Kagnarou. Le lendemain, la famille vient au domicile pour présenter les condoléances. On n'avait jamais vu une foule aussi importante. Apéraw s'envole au Sénégal afin d'assister à l'inhumation. Il avait vu sa femme perdre progressivement ses cheveux à cause de la chimio. Le cancer faisait son chemin en vitesse. Iña remontait péniblement la colline. Ses amies l'aidaient à se tenir debout. Il se savait impuissant, c'est pour cette raison qu'il l'avait laissée aux soins de Maï et Mabinta à Kagnarou. Elle avait dit à Lecléon à voix basse et en diola pour pas que les enfants comprennent : « Quand je vais mourir, vous allez pas m'oublier. » Elle avait quarante-deux ans.

Le sort se déchaîne. Pendant l'absence d'Apéraw, trois mois au total, la banque, les huissiers, le juge prononcent un avis d'expulsion. Sans pitié. La famille se disloque, au décès de sa première femme vient s'ajouter le divorce avec la seconde. Chacun se démerde comme il peut. N'importe qui aurait démissionné de la vie.

C'est pas grave. C'est la vie.

Père, mes respects.

Citroën

En 1977, un an avant la naissance d'Aty, Apéraw est embauché chez Citroën. Depuis peu, la ville d'Aulnay-sous-Bois accueille une usine flambant neuve en remplacement du vieux site de Javel. 160 hectares, des machines pimpantes et des robots modernes. Nouvelle usine mais gestion à l'ancienne. Les bus de ramassage qui viennent chercher les ouvriers au foyer, les repas de Noël, les cadeaux pour les enfants, les visites groupées au musée de l'Air et de l'Espace du Bourget, le pastis et le couscous des OS maghrébins offerts aux chefs pour acheter leur bienveillance.

Sur sa fiche de recrutement, à horaires demandés, Apéraw coche *MATIN APRÈS-MIDI NUIT* (et à côté, au stylo, quelqu'un rajoute :) *PEU IMPORTE*.

Apéraw est placé sous le contrôle direct d'un ouvrier d'un niveau de qualification supérieur. Cet ouvrier en question, son chef d'équipe, il joue les gros bras. Il dit : « Attaque, attaque », geste à l'appui, pour les pousser à augmenter la cadence sur la chaîne. Crise ou pas, par jour, ils doivent sortir *400 voitures*. Le chef autoritaire reçoit la pression de ses supérieurs et comme il ne sait pas la gérer, il la redistribue tranquillement aux ouvriers. On dirait que c'est l'usine à son père.

Salopard, le travail ça finit jamais. C'est les gens qui finissent. Aller vite vite mais pour aller où ?

« Monsieur Diémé, toi tu n'en fais qu'à ta tête, t'es lourd. »

Oui, merci moi je préfère ça c'est mieux. Celui qui va me dominer il est pas né. Même mon père moi je lui réponds quand je suis pas d'accord. Toi tu es fou toi.

Le travail chez Citroën c'est pas tous les jours facile mais l'entente avec les collègues, ça l'aide beaucoup à se lever le matin. Apéraw bosse avec des gens, *c'est des malades*. Il le sait, à l'usine *il va rigoler, rigoler jusqu'à fatiguer*. Ses collègues, il les appelle *mes copains*. Ils sont sénégalais, mauritaniens, algériens, portugais, italiens, espagnols, turcs, maliens. Avec eux, il fait le tour de l'Italie, va en Suède, à Constantine et à Alger. Mais les Suédois, les Algériens et les Italiens font des circonvolutions quand il s'agit de venir passer les vacances en Afrique. Sur les photos des anciens passeports que j'ai retrouvés, Apéraw a des joues creusées comme son père, une mâchoire carrée et des cheveux impeccablement peignés. Quand il a des congés, il rend visite à Abidjé à Kagnarou. Apéraw lui propose de l'argent, son père refuse et lui offre cinq vaches. Il les vend à un berger peul et se sert de l'argent pour financer la première maison à Bignona.

En 1982, la CGT lance un appel à manifester pour les salaires, la dignité et la liberté syndicale des ouvriers de l'usine Citroën d'Aulnay. Le début des emmerdes. Apéraw va le payer cher. Gonflés à bloc par l'arrivée au pouvoir de la gauche, les ouvriers immigrés répondent massivement présents. Ils se mobilisent, ensemble ils peuvent faire bouger les choses. Apéraw ne comprend pas. Une manifestation, pourquoi ? Il suit le mouvement, se retrouve dans la rue, crie des slogans. L'année suivante, ça se corse. Un plan de 800 licenciements est annoncé. La CGT riposte et entame une nouvelle série de grèves.

Avant à Citroën c'était bien mais après les syndicats ils sont arrivés. Si tu veux travailler on te tape.

Les copains sont pris par la main, on leur dicte ce qu'ils doivent faire, pour qui ils doivent voter, ce qu'ils doivent dire ou ne pas dire. Dans les assemblées, on entend des syndicalistes lancer : « Moi parler immigré. » Ça suffit. L'usine n'entend pas se laisser faire et chaque année les têtes tombent. Jusqu'au début des années 1990. Dans le brouhaha des protestations, de nouvelles revendications prennent forme. Puisque la France ne veut rien entendre, puisque les syndicats, dans leur guerre intestine, les prennent pour des imbéciles, certains ouvriers immigrés négocient une aide au retour dans leur pays d'origine. Apéraw compte bien rester, ses enfants sont nés en France, il ne veut pas courir le risque. D'après les chefs, le Diola a la tête dure, c'est ça son problème. Il n'accepte pas l'autorité. Il croit que ça n'arrive qu'aux autres, mais Apéraw est sur la sellette. En 1991, dehors. Hasta la vista, bon vent. Dans sa version des événements, il donne l'impression d'avoir eu affaire à des charlatans. Ils l'ont envoûté avec de belles paroles. Victime d'un complot.

Citroën ils m'ont vu dans les caméras pendant la manifestation. Les gens ils m'ont blagué, moi j'ai fait le con.

Ils ont foutu Apéraw à la porte après quatorze années de bons et loyaux services sur la chaîne. Il n'a rien vu venir. Au début, il a cru à une mauvaise blague. Ils allaient le rappeler et lui dire : « C'était pour rire, monsieur Diémé, on vous attend demain. » Mais au contraire, ils lui ont envoyé une lettre officielle de licenciement. Une lettre avec les sentiments distingués et tout et tout, mais sans remerciements.

Il se sent trahi, ridiculisé. À qui en vouloir ? Qui a balancé ? Les caméras ou le chef d'équipe ? Pourquoi lui et pas un autre ? Citroën lui verse quatre mille francs et lui souhaite bonne chance dans ses recherches. Le soir de l'annonce il rentre à la maison et il dépose son corps gâté par la chaîne dans le fauteuil du salon. Comme tous les autres soirs, il a tellement mal aux pieds à cause du travail qu'Iña doit l'aider à retirer ses chaussures.

Le licenciement ne vise pas tout le monde, certains copains sont passés entre les gouttes. Ils lui conseillent de prendre un avocat. Apéraw commence à avoir chaud. Les enfants, le crédit, la maison. Il ne peut pas réfléchir sereinement dans ces conditions mais tente le coup, tant qu'à faire.

Mes enfants, ils sont nés à Citroën.

L'avocat ne comprend pas. Son client exprime son attachement à l'usine ainsi. L'âge, les dates d'anniversaire, les chiffres, les années, pour lui c'est du chinois. Depuis qu'il occupe son poste d'opérateur ferrage, sept de ses enfants sont nés. Cela ne représente pas seulement un bon indice temporel. L'avocat juge les supplications et les *300 000 francs* insuffisants et demande *100 000 francs* supplémentaires pour entamer la procédure. Après quelques rendez-vous il concède : « Les avocats de Citroën sont trop forts, je ne peux rien faire. »

Il serre la main à Apéraw.

Et il garde les sous.

Apéraw en veut à son ancien employeur, aux syndicalistes, aux avocats. Un an après son licenciement, un de ses fils perd une jambe dans un accident de train. Les avocats ne lèvent pas le petit doigt. En privé, ils lui lâchent : « C'est votre fils qui a fait le con. » De façon plus courtoise, la lettre dit : « La SNCF n'entend assurer aucune responsabilité dans cette affaire et ne prendra pas à sa charge les frais engagés à la suite de cet accident. » Le jour où on le prévient de l'accident, une fois rassuré sur le fait que la vie de son enfant n'est pas en danger, Apéraw est décidé à le punir. Mais en arrivant à l'hôpital, il en est incapable. Le mal est trop grand. La jambe, déchiquetée et traînée sur une cinquantaine de mètres, ne pourra pas être greffée. Apéraw est retourné. Un enfant de seize ans. Pourtant il était très bon au foot, vif, technique et dur sur les avants-centres. Des recruteurs s'asseyaient dans les gradins du CSL Aulnay. Mais au lieu d'une carrière à la Olivier Dacourt, il sera embauché par la marque aux chevrons. Chez Citroën, comme son père, à force d'avoir visité les machines. Le même scénario. Aujourd'hui mon frère peut dire à son tour : « Mes trois fils sont nés à Citroën. »

1er mai 2010. Des milliers de manifestants se réunissent à l'appel de cinq syndicats de salariés. Ils quittent la place de la République et se dirigent vers la place de l'Opéra. Des hommes agitent des drapeaux sur l'écran. Ils scandent des slogans et déploient des banderoles. Dans un camion bruyant, un responsable de la CGT brandit l'étendard rouge devant les journalistes. Toujours la même réaction, Apéraw s'empare de la télécommande.

CGT c'est quoi !? Foutez-moi le camp ! C'est à cause d'eux qu'y m'ont foutu à la porte.

Il éteint la télévision et ferme les yeux. Il n'aime pas le rouge. Les acteurs qui défilent au Festival de Cannes ne se rendent pas compte de la portée de leur geste. Depuis l'histoire du licenciement, interdiction formelle de porter un pull de cette couleur pour aller à l'école.

Tu veux me faire honte. Le rouge, c'est pas bon, ça fait mal aux gens.

Apéraw ne comprend plus les protestations à la télévision, les révoltes, les grèves, la violence.

Maintenant je touche ma retraite je dis rien, je reste calme, c'est mieux.

Je suis étudiant à l'université et à la maison je me prends pour Goliath. J'explique calmement, je pèse mes mots.

« Manifester c'est important des fois aussi. »

Toi t'écoutes pas quand on te parle ! Au pays quand le père il dit quelque chose si l'enfant il répond on le chicote bien bon. Tu fais des études, tu lis beaucoup mais on dirait dans ta tête y a rien du tout.

L'annonce de la mort de Margaret Thatcher en 2013 ravive le sentiment de défaite d'Apéraw. Il n'aime pas la politique, me tournerait le dos si j'en faisais, mais elle, Margaret Thatcher, il la respecte. C'est une bonne dirigeante. En 1979, en pleine campagne, elle a promis de réduire le pouvoir des syndicats. En quelques années, par ses diatribes et son caractère, elle est parvenue à éradiquer la gangrène.

2014. L'usine Citroën va fermer ses portes. La télé annonce tous les jours la fermeture imminente du site historique d'Aulnay-sous-Bois. Mon frère fait part à Apéraw de son inquiétude avant l'extinction des feux.

Non, je crois pas qu'y vont fermer. Nous aussi, avant ils disent ils vont fermer mais c'est pas vrai. Peut-être qu'y vont fermer mais ils vont rouvrir plus tard.

La tristesse refait surface, c'est obligé. Citroën, l'excellence française.

« Tu vois bien, Apéraw, tu l'as entendu comme moi à la télé. »

Ne faut pas vous inquiéter ils disent ça pour rigoler.

Je l'emmène en voiture pour vérifier. Pourquoi je fais cela ? Qu'est-ce que je cherche à prouver ? « Tu vois, Apéraw, y a plus aucun véhicule sur le parking. » Plus de DS, plus d'AX, plus de fourgon type H, plus de Xantia, plus de traction avant, tous ces modèles que lui et les copains avaient le privilège de voir avant tout le monde. Un parking d'un néant terrifiant. On n'entendra plus les clameurs, les cris des ouvriers, le hurlement des machines. Je garde le silence quelques secondes et ralentis pour lui laisser le temps de faire sa prière, saluer une dernière fois.

Moussa Diouf

Moussa vit au foyer des 3000 entre la cité Jupiter et le Galion. Il lui arrive parfois de laisser sa chambre vacante et de disparaître plusieurs mois sans laisser de traces. Inquiet de ne plus avoir de ses nouvelles, Apéraw part à sa recherche. Il enquête auprès de ceux qui le connaissent. Il erre dans les couloirs de sa démarche frêle, les genoux fléchis, mais décidé, il frappe plein de détermination à toutes les portes. *Tu connais Moussa Diouf? Il est dans quelle chambre?* Il arrête les gens dans la rue, au Galion, attrape le bras d'une vieille connaissance à la sortie de la mosquée. Il téléphone à la population aulnaysienne susceptible d'avoir un lien quelconque avec le concerné. *Tu as vu Moussa Diouf?* Certains donnent de vrais faux espoirs, affirment l'avoir vu deux jours auparavant, des sacs-poubelle sur le dos. D'autres prétendent : « Moussa est rentré se reposer au pays. »

Moussa Diouf est une énigme. Il continue de faire le tour des marchés. Par habitude et par instinct. Tôt ou tard, Apéraw finit par le dénicher. Les deux amis se serrent longuement la main.

Diouf Diouf.

« Diémé Diémé. »

Moussa laisse Apéraw seul quelques instants dans la chambre et descend chercher du maïs, grillé pour lui, bouilli pour Apéraw. Ils discutent un long moment. De la santé, des déboires des enfants, de la vie sans Iña. Ah. Les enfants s'accrochent. Ils revivent ensemble les années au marché.

Quand je vois Moussa il me dit il peut plus porter tous les sacs. Maintenant il porte un sac seulement. Avant on était jeunes, on avait la force.

Moussa va bientôt retourner au Sénégal, il aimerait prendre une troisième épouse.

Ça va pas la tête !? Tu travailles ici en France dans les marchés et quand tu gagnes l'argent tu rends tout aux femmes.

Leur amitié ne date pas d'hier, Apéraw s'autorise quelques critiques à son encontre. Mais Moussa n'aime pas recevoir de leçons. Ça l'énerve. Il dit : « J'ai le droit. » Si Apéraw insiste, Moussa lui dira de s'occuper de ses affaires. Il épousera une troisième femme s'il en a envie, c'est tout. Les taquineries ne durent pas longtemps. À la nuit tombée, Apéraw quitte le foyer les bras chargés de cadeaux pour nous, signe que Moussa ne pourra jamais assez le remercier pour cette visite aussi joyeuse que soudaine. S'il en avait les moyens il en ferait davantage et si c'était au village, il lui offrirait son meilleur coq. Pour cette fois, ce sera du maïs, encore du maïs, des colliers, un sac à main pour ma sœur et une trousse pour moi. *Comme ça tu pourras mettre tes crayons.* Ce sont des articles du marché, c'est son gagne-pain. Apéraw veut mettre la main à la poche, mais Moussa rétorque : « Ça va pas la tête, qu'est-ce que tu fais !? » J'ai avancé dans la vie. Cette trousse, vieille et déchirée, je l'ai gardée toute ma scolarité. Moussa a beaucoup compté pour nous.

Je ne sais pas en quelle année ils commencent à se côtoyer, peut-être au milieu des années 1990, peu avant le décès d'Iña. En revanche je connais les circonstances et les détails de leur rencontre. Ce jour-là, Moussa porte des sacs-poubelle sur son dos. Ils se recroisent à deux reprises, une fois au Galion, une autre fois à la gare de Villepinte. Un ami commun logeant au foyer va les présenter plus officiellement. Moussa est sérère, c'est un argument de taille pour un Diola. Les relations basées sur la plaisanterie entérinent d'éventuelles méfiances. Après quelques rencontres fortuites, Apéraw l'interroge sur le contenu des sacs. Moussa invite mon père à boire l'ataya dans sa chambre. Il prête une oreille attentive aux problèmes d'Apéraw. Il est sans emploi, il a perdu sa femme. Les huissiers commencent à le fatiguer. Est-ce qu'il n'y a pas de travail ? Est-ce que par hasard il n'a pas entendu quelqu'un qui cherche quelqu'un qui cherche du travail ? Donnant-donnant. Apéraw veut investir son peu d'économies dans une affaire rentable. Moussa de son côté cherche un associé de confiance et le Diola est la personne idéale. Sans plus attendre, ils poussent la porte des librairies, demandent le journal des brocantes.

Nous on sait pas lire, on connaît rien. Mais Moussa lui il connaît les métros, tout, il connaît tous les marchés. Colombes, Villeneuve-Saint-Georges, Vigneux, on a tout fait.

Ils achètent leurs marchandises en gros, rue du Temple, près de la place de la République, chez des commerçants chinois qui vendent à des prix défiant toute concurrence. Ils négocient farouchement, chahutent, se plaignent des prix trop élevés. Le grossiste refuse de baisser son prix ? Apéraw et Moussa tournent les talons, font mine de s'éloigner, et ça marche : le vendeur cède aux caprices. Ils se font la promesse de ne pas divulguer l'adresse, ils veulent garder le monopole de l'affaire. Y a des gros sous à se faire. Sûrs de leur coup comme deux bandits. Fin 1997, Apéraw obtient sa carte de commerçant au grand marché de Rungis. Pour la vente d'objets, chaussures, pantalons, vestes, chemises, vêtements, sacs, bijoux fantaisie sur les marchés et en ambulant.

Apéraw se permet parfois des commentaires sur les locataires du foyer.

Eux ils ont même pas honte. Ça fait vingt ans, trente ans ils sont en France et ils sont même pas capables d'avoir une maison. Ils sont trop fainéants.

Ces remarques ne sont jamais adressées à son associé. Je ne lui en ai jamais tenu rigueur non plus. À son arrivée en France, Apéraw avait lui aussi connu les chambres exiguës mais il avait fui dès qu'il avait pu. Ça ne l'empêchait pas de retourner au foyer régulièrement, il y avait de bonnes relations, des marabouts, des tailleurs et des professeurs particuliers pour les enfants. C'est triste et pénible d'avoir à raconter le sentiment de supériorité que l'on peut avoir sur les locataires du foyer. Si tu y vis, passé un certain âge ce n'est pas normal. À la mosquée, les ouvriers des pavillons, des cités et ceux du foyer prient sur la même ligne. La prière terminée, le mépris s'installe. Dans les quartiers l'insulte la plus sale adressée à quelqu'un c'est

« espèce de foyard » ou « sale foyerman ». Il suffit de faire une faute de français, de venir à l'école mal vêtu pour entendre les gens se moquer. Se faire traiter de fils de pute est moins humiliant.

Le jour de l'Aïd, avec mes potes on se pare du plus beau boubou et on prend le chemin de la mosquée du foyer, à l'heure de la grande prière du matin. On frappe aux portes une à une, on souhaite bonne fête aux occupants, dans le but de récolter au pire quelques bonbons pourris, au mieux quelques pièces. Les crevards qui refusent de mettre la main à la poche verront leur tranquillité dérangée toute l'année à venir. En cas de trouble, un grand gaillard vêtu d'un de ces joggings fluorescents prêts à s'embraser au moindre mouvement nous lance ses sandales et menace de nous couper le zizi si on continue.

Les couloirs sont longs comme dans une clinique, avec des chambres numérotées et des portes battantes. Les différents étages et les bifurcations offrent les meilleures courses-poursuites. On trouve le moyen de s'incruster dans une chambre afin d'échapper aux poursuivants. À l'intérieur, des sacs jonchent le sol entre les lits superposés, les gars sont pépères devant leur télévision ou attablés autour d'un plat. L'un d'eux s'active devant une machine à coudre, entouré de tissus. C'est Diallo, le tailleur du quartier, il a encore du bazin sur la planche. Il nous suspecte de quelques coups tordus.

Bonne fête. 10 francs pour le dérangement.

Les robinets pour les ablutions crachent un jet d'eau au débit capricieux. On distingue à peine Apéraw au milieu de la salle de prière bondée. Il est à côté du costaud au jogging fluorescent. Certains jours, on ne retrouve plus ses chaussures neuves après la *salat*. Certes, Allah est miséricordieux, il accueille le repentir.

Moussa me fait penser à un épouvantail avec son gilet bleu. C'est un vendeur ambulant. Il se déplace avec des tintements de cloche à cause des marchandises. Sous son gilet, il nous laisse voir les bracelets planqués dans ses poches multiples. On dirait une publicité. Les montres brillent. Ses poches sont pleines de trésors. S'il pouvait mettre une voiture dans sa poche il le ferait, un frigo il le ferait. Moussa Diouf est comme le génie dans la lampe.

Je ne comprends pas comment il fait pour posséder autant d'objets dans une si petite chambre. Il doit exister des portes secrètes. Moussa attend quelque chose au foyer. Depuis trente ans il attend d'épargner assez d'argent pour rentrer se reposer au pays. Au début des années 2000, il m'offrira mes premiers euros avant leur entrée en circulation. Quatre-vingt-douze centimes.

Le marché

Sans grande réticence, Koto et moi acceptons de suivre Apéraw et Moussa sur les routes du marché. Le jour commence avant l'aube. Nous passons sous le pont dans lequel le marchand de glaces s'est un jour encastré, longeons le stade vélodrome puis le parc du Sausset. La vie au foyer ne s'arrête jamais. À l'intérieur du bâtiment, dans la lumière jaunie, on aperçoit des silhouettes. Les habitants des 3000 se dirigent vers la mosquée pour la première prière. La navette de l'usine vient vomir l'équipe du soir sur le trottoir et repart avec les travailleurs du jour. Apéraw visse un chapeau sur sa tête et courbe le dos sous le poids des sacs-poubelle.

Les contrôleurs et les policiers, moins on a affaire à eux, mieux c'est. Apéraw a une carte de commerçant et une carte de séjour, il est en règle, mais par expérience il sait que cela ne le met pas à l'abri d'un abus de pouvoir. Sinon il ne nous demanderait pas de nous vêtir soigneusement et d'éviter le rouge, ça porte malheur. Dans le train, les curieux cherchent à deviner les formes dans les sacs placés sous nos sièges. L'odeur du faux, de la maroquinerie à deux sous.

Le marché de Colombes se remplit petit à petit. Les gaufres et les cafés fument au-dessus des étals. Les stands s'organisent, les voix s'échauffent. Avec une extrême rapidité, des marchandises sont sorties des camions, aussitôt déballées sur le sol. Nous on a un petit emplacement, au fond, très loin du cœur du marché. C'est la place la moins chère, celle à 100 francs. Malgré tout, il est des jours où les ventes suffisent à peine à rentabiliser le droit d'entrée. Je n'ai pas envie d'aider à monter le stand. Je reste accroupi, recroquevillé, Koto appelle cela « la position sarcophage ».

Aucune ligne ni cohérence commerciales. On vend de tout. Des sacs à main, des boucles d'oreilles, des pendentifs Nike, Adidas et Puma, des bracelets, des montres dorées, des bonnets de Noël, des gants. Tout est entassé sur le tapis, sur le bois déplié et recouvert par une nappe noire. Vue ainsi, la marchandise a l'air incrustée, figée depuis trop longtemps. Moussa Diouf caresse les montres, comme pour les faire mieux briller. Il sourit aux potentiels clients avec ses dents à moitié cassées. Il crie toute la journée pour presque pas un rond. Le plus difficile au marché, c'est de rester immobile debout et de voir toute la journée des gens passer devant le stand sans dire bonjour, sans savoir s'ils sont ou non intéressés. Ne pas aimer nos produits revient à ne pas nous aimer. La moindre réaction et on se sent visé. Un sourire peut être pris pour une moquerie. De quoi devenir parano.

Des fois y en a qui viennent regarder nos prix, s'ils voient 50 francs pour un sac à main, ils baissent leur prix (en douce), ils mettent 40 francs pour attirer les clients. Apéraw imite un homme, acteur pas du tout discret, il regarde le stand, les mains dans les poches en sifflant, la tête dans les nuages. Ça me fait sourire.

Le froid ne blague pas. On a doublé, triplé nos chaussettes. Apéraw souffle dans ses mains et les enfonce dans ses poches. Comme les clients ne se bousculent pas, il nous propose un chocolat chaud. Si la recette est bonne, je toucherai mes 10 francs ; l'appât du gain est la seule explication à ma présence sur les lieux. Je passe toute la journée à penser à ma récompense du soir et au grec salade tomates sans oignons du midi.

Je sursaute quelquefois devant un visage familier. La peur de croiser une connaissance me joue des tours. Heureusement, Colombes c'est loin. Peu de chances d'être aperçu par nos potes, lesquels sans pitié nous auraient traités de foyerman, et moi j'aurais insulté leur grand-mère en représailles. Apéraw avance à grands pas, il se retourne rarement. Tant mieux. Je marche le plus loin possible de lui. Je ne veux pas partager sa pauvreté. De l'époque des marchés, je garde en tête l'image d'Apéraw portant plusieurs sacs-poubelle sur son dos. Dans ma vie, il n'y a pas d'image plus violente, de honte plus profonde.

Les marchés ne rapportent pas beaucoup de sous à la baraque. J'ai aux pieds des chaussures trouées, bousillées par les longues parties de football. Le froid et la pluie entrent dedans. Je joue au foot, je shoote le sol, mon orteil se met à pisser le sang et devient bleu. J'ai épuisé tout mon stock de chaussettes. Apéraw promet de m'acheter des nouvelles chaussures à la fin du mois. On fait nos courses chez Tati.

Ça c'est bien, c'est solide, ça va durer. Des chaussures simples, sans marque j'entends, deux pointures au-dessus *Comme ça, ça va durer longtemps.*

J'ai compris rapidement que l'homme qui avait frappé à notre porte n'était pas venu dans le but de prendre les mesures pour la piscine du jardin. Les huissiers vont mettre leurs menaces à exécution. Ils attendent l'arrivée du printemps et l'éclosion des cerisiers pour nous foutre à la porte.

L'école organise une sortie. Tous les élèves payent, sauf moi. Premier en classe mais dernier à payer. Je mens à la maîtresse, je joue bien la comédie. « Ah oui pardon, maîtresse, mon père il a laissé l'argent mais j'ai encore oublié, j'suis trop bête. » Elle écrit des choses dans mon carnet de liaison. Le soir j'explique à Apéraw de quoi il s'agit.

C'est quoi ça encore !? Pour aller où encore !? Payer ! Payer ! Faut toujours payer ! Faut pas que les gens te dominent ! Faut pas me fatiguer avec ça.

Qu'est-ce que je suis censé dire à la maîtresse ? Comment lui annoncer que la sortie finalement, je ne vais pas la faire ? Merci, mais très peu pour moi, j'ai un empêchement, la prochaine fois si Dieu nous le permet. Merci d'avoir proposé en tout cas.

Apéraw ne pose plus son front sur le tapis de prière, il ne récite plus l'Alcoran. La nuit, quand tout le monde est couché, il boit sa 8.6. *C'est ça qui soigne.* Il savoure des entrecôtes de porc, partage une bonne bouteille de vin avec son frère. Pas pour noyer son chagrin, ni pour la découverte de l'ivresse. Je ne l'ai jamais vu bourré. Il veut rompre avec son passé, il cherche à rectifier sa trajectoire. Il boit pour faire comme les autres, les dirigeants, les hommes en cravate, les proprios de la cité des Chiens. Les documentaires à la télé sur les coutumes en Afrique (les chants, les danses) lui font dire, *Les Noirs, ils sont bêtes. Ils sont là à prier Allah Allah et ils n'ont même pas de quoi manger.* Il reprend les cours du soir, il essaye de lire le journal, porte des lunettes. La tête haute, l'allure fière.

À la fin du mois, il m'envoie à la benne jeter les bouteilles de vin. Après des heures, des jours de lutte et de subterfuges afin d'échapper à cette corvée, j'y vais avec mon chariot et m'assure de n'être vu par personne. L'odeur du liquide lorsque les bouteilles s'entrechoquent me dégoûte. Impression de la garder sur mes vêtements.

Apéraw entraîne la famille vers le changement, car avant d'être musulman il était asoninké. Retour aux sources. La conversion n'a pas fait d'eux des hommes meilleurs, les kounifaanaw avaient vu juste. Pour Noël, il paye son Champomy, son panaché ou son cidre. Si quelqu'un veut regarder la liste des ingrédients il dit, *Non c'est bon c'est rien ça.*

Le soir je me cache sous la table basse en marbre et j'écoute Apéraw descendre sa bière. Il éructe.

Hamdoullah.

Retour aux 3000

En 1998, Apéraw retrouve du travail. Il est intérimaire à l'aéroport de Roissy. Il nettoie des avions. Lecléon lui a trouvé le piston et nous a accueillis chez lui après qu'on nous a expulsés de la maison du Gros Saule. Dans l'ancien appartement, celui dans lequel Apéraw et Iña les avaient installés à leur arrivée en France treize ans plus tôt. Lecléon n'a pas oublié. *Faut bien tenir la famille*, on laisse pas un frère en chien, paroles de bonhomme. Malgré toute la bonne volonté du monde, Apéraw est gêné. Son petit frère l'accueille avec ses enfants, il les loge. On est tous bienvenus ici. « Chez moi c'est chez toi, faut pas avoir honte. On va se serrer. Les enfants vont grandir ensemble, ce sera comme au village. » Apéraw pense différemment. En l'espace de quelques mois, il a pris un grand coup sur la tête. C'est pas grave, bientôt il va remonter la pente financièrement. Ça ne va pas durer longtemps. Il a toujours géré.

L'appartement n'a pas beaucoup changé. Si ce n'est le portrait du Christ, le front en sang à l'entrée, et l'eau bénite dans le meuble en bois massif du salon. Sinon, c'est le même papier peint, la même organisation des chambres, les mêmes lits superposés, tout. Apéraw n'avait pas fini de déménager toutes ses affaires. Il reçoit encore du courrier à cette adresse. Dans les malles, il retrouve les premières fiches de paye de Citroën. Revenir ici ne lui fait pas trop plaisir. Les bâtiments ont en partie été construits pour loger la main-d'œuvre immigrée. C'était mieux au Gros Saule. Les 3000 lui rappellent trop Citroën, les copains, le bus de ramassage.

L'agence d'intérim ne lui confie pas toujours des missions, mais c'est plus avantageux que le marché. On l'autorise à s'approcher du cockpit. Là aussi il travaille vite, il nettoie l'avion en un rien de temps. Un coup d'œil rapide entre les sacs de vomi et les objets oubliés. En catimini, il remplit ses poches de gadgets chinois, de yens, de pesetas, de dollars laissés par les passagers. Quand il faut pointer en fin de journée, il transpire. Une fouille des gardiens et c'est le chômage assuré. Le soir à la maison, il étale son butin devant nos yeux ébahis. Et voilà, il se met à parler des pays comme s'il y avait vraiment foutu les pieds.

Pour moi, Apéraw n'aura jamais quitté sa pipe ni son fauteuil. Il sera associé à cette image pour l'éternité.

Papa, un jour je pisserai sur ta tête

Les choses ont commencé à se défaire le jour où le garçon de Fengho a vu les animaux fuir dans la brousse. Les kounifaanaw ont compris, les jeux étaient faits avant même d'avoir à consulter l'ordonnancement des cauris sur la natte. Les gens de Kagnarou se réunissent sous l'arbre bantamba. Toutes tranches d'âge confondues. Durant les assemblées, avant de prendre la parole, les kounifaanaw se raclent la gorge et annoncent : « Je vais parler. » L'assistance prête une oreille attentive. Les kounifaanaw suspendent leurs phrases, prennent leur temps, laissent parler le silence, posent les questions rhétoriques. Apéraw se souvient de l'agitation du garçon de Fengho. Les anciens lui demandent de reprendre son souffle. Il raconte. Aujourd'hui en entrant dans la forêt il a vu les animaux fuir par milliers. Il s'est écarté pour les laisser passer. La terre a tremblé de partout.

Comment ça !? C'est quoi ces histoires encore ?

Les bêtes sauvages prennent toutes la même direction.

Le garçon a du mal à faire sentir à l'assistance ce qu'il a vu de ses deux yeux.

Mais lui, qu'est-ce qui va pas dans sa tête, il est malade ou quoi ?

Non. Il dit la vérité, c'est un bon garçon. Il n'a rien inventé. Les animaux sont là en train de crier et de courir ! Partout partout. Par centaines, par milliers. Les éléphants marchent sur les girafes. Les singes s'agrippent au dos des léopards.

Le lendemain on fait venir un marabout. Puis un autre. Ça ne va pas. Les nouvelles sont mauvaises. Les marabouts sont formels.

La pluie ne touchera pas le sol.

Pendant vingt années.

Un jeune rejoint l'assemblée à l'ombre de l'arbre à palabres. Akamana est né et a grandi à Bignona mais sa généalogie le lie à Kagnarou. Par ses visites régulières, il va ouvrir une porte et offrir de nouvelles perspectives aux jeunes du village. Akamana leur parle de la ville naissante, des grands navires dans le port incroyable de Ziguinchor, ces monstres remplis d'arachides en partance pour l'Amérique, l'Europe et la Chine. Apéraw l'écoute comme on écoutait autrefois les anciens combattants et les grands voyageurs.

Les questions et les discussions se prolongent jusqu'au bout de la nuit. On se prend à s'imaginer fortuné, élevant des maisons, travaillant pour aider les parents. Yooo les animaux de la brousse ont parlé. Celui qui n'a pas entendu c'est son problème. Les jeunes fabriquent des prétextes ou des excuses pour fuir. Bientôt la sécheresse va tout gâter et le sel va ruiner les rizières. Les nombreux cours d'eau seront asséchés, les grands arbres vont tomber un à un, les caïmans mourront lentement dans la boue. Akamana les regarde bien droit dans les yeux.

« Pourquoi vous restez alors que la terre elle donne plus rien ? Y a rien ici. Y a pas de travail. Il faut partir. Chacun n'a qu'à chercher un métier. »

Apéraw va quitter Kagnarou un jour. Les ignames sont cuites. Son père comprend qu'il ne pourra rien empêcher. Ces histoires ne l'atteignent pas. Son temps à lui est en train de finir.

Des écoles commencent à être construites dans la région. Sauf à Kagnarou, pas pour l'instant en tout cas. Les kounifaanaw ont exprimé leur désaccord. Ils ne souhaitent pas voir leurs enfants s'écarter des coutumes. Étudier pour aller où ? « Est-ce qu'on a attendu quelqu'un pour apprendre à manger ? Ils croient qu'on est bêtes mais laissez-les croire ce qu'ils veulent, nous on s'en fout. Ce qui est dans notre tête c'est ce qui était dans la tête de nos pères, la vie c'est comme ça. Tu prends les choses dans la tête de ton père et tu augmentes. »

Apéraw est l'aîné. Il assume ses responsabilités. Il va voir son père.

On a décidé de partir, Yaya et moi.

Le premier s'en va étudier à Diourou. Apéraw le dépose à vélo devant l'école. Sur la route, il le conseille beaucoup. *C'est toi qui vas nous guider quand tu seras grand.*

Apéraw prépare son paquetage. Il rend son kadian-dou, prend plusieurs sacs de riz et un bidon d'huile. Direction la ville.

Selon mes recherches, ça se passe à la fin des années 1950. Apéraw devient apprenti menuisier à Bignona. Il apprend à choisir le bois, à le mesurer, à poncer, à réaliser des meubles et des placards. Il ne connaît rien à la géométrie, il ne sait pas lire les formes sur le plan, ni se servir du compas et de l'équerre. Malgré ça, le métier rentre vite. Du vendredi soir au dimanche, Apéraw s'enjaille calmement dans les dancings. En homme, il porte un béret et taquine les filles sur de la musique cubaine et du rhythm and blues. Le bon temps. Celui des premières navétanes, ces matchs de foot qui se tiennent pendant la saison des pluies. Du gardien Diallo qui pivote comme un chat pour capturer les ballons avant qu'une grave blessure l'éloigne des terrains. Du cirque au rond-point de Bignona. Des Ghanéens qui font des acrobaties sur des grands vélos. Incroyable. Les contorsionnistes par contre beaucoup moins. Des gens qui plient leur corps comme du chewing-gum

comme ça là !? Nooon. *Ces gens-là sont dégueulasses.*
Ils n'ont qu'à foutre le camp. Au cirque on enferme les
animaux de la brousse. Bien sûr cela n'intéresse pas
Apéraw, ça lui fait mal mal. Ce souvenir n'a pas sa
place dans le chapitre de la belle époque. Les cirques,
les zoos, c'est du grand n'importe quoi. Quand il voit
sur les chaînes françaises des vétérinaires donner le
biberon à des lionceaux ou des gens dans des embras-
sades suspectes avec leurs canidés, il se cache les yeux.
C'est eux les malades. Pourquoi ils ont retiré les ani-
maux pour les ramener ici, hein ? Eux ils croient ils
peuvent pas se débrouiller tout seuls dans la forêt ou
quoi ? Est-ce que les animaux ils ont attendu eux pour
manger ? Nooon. Les Blancs, vraiment n'importe quoi !

Henri Beringer est l'une des plus grosses fortunes de Bignona. Il a toujours vécu ici, ses deux fils, Philippe et David, sont nés là. Henri est le gérant du Palmier, le seul hôtel de la ville. Une belle devanture dans le quartier le plus chic. Le quartier de la bourgeoisie, des grands magasins et des comptoirs commerciaux, situé en bordure du marigot Madibolong. Le quartier de l'Escale est l'un des plus beaux endroits de Bignona. Beringer loge des personnalités de passage, des hommes d'affaires et des touristes. La Transgambienne passe devant sa porte.

Apéraw n'a pas besoin de rencontrer Beringer pour comprendre son importance. Partout où il passe, les gens parlent de lui. C'est un gros monsieur, il en impose dans tous les sens du terme. Henri Beringer est gourmand. Il achète tout. Une pharmacie et un cinéma qui diffuse *Zorro,* les films d'Eddie Constantine... et *Tarzan,* mais les spectateurs sentent bien la dangereuse caricature là-dedans.

Le plus riche cependant, c'est celui qu'on appelle Qatar. Un Libano-Syrien. À côté de lui, Beringer ne fait pas le poids. Qatar a ouvert une boutique de costumes dans laquelle il emploie les vieux des villages environnants.

Quand tu rentres dans le magasin, tu peux pas sortir, y a des costumes partout partout.

Dans le temps, porter un costume c'était devenir quelqu'un. C'était l'orée de l'indépendance, des promesses de développement et des chimères. Les vieux rentrent au village avec des chutes de tissu pour faire des pantalons à leurs enfants. Ça, à la rigueur, ça va. Mais attention ! Qatar n'aime pas voir des nègres gambader dans ses costumes. Ils sont là pour bosser, pas pour se la raconter. Il dit : « Vous et nous c'est pas pareil. C'est interdit. » Heureusement pour lui, il est encore plus interdit dans mon éducation d'insulter les morts, fussent-ils mauvais.

Une fois en France, Apéraw remplit son armoire de cravates, de centaine de cravates de toutes les couleurs. Il en porte tous les jours, dans le bus, à l'usine, pour signer son prêt immobilier, aux accouchements d'Iña, aux rencontres parents-professeurs, pendant les années de chômage, et même à la retraite. Il contemple les vitrines des magasins dans le VIIIe arrondissement de Paris. Il revendique toute sa vie le droit de posséder des costumes, en hommage aux vieux couturiers sans qui Qatar aurait sombré dans l'oubli.

Un jour, au sortir des vestiaires, un collègue de Citroën l'interroge sur la raison d'un tel soin porté à son habillement. Apéraw a pour seule réponse : *Parce que j'ai le droit.*

Pour faire perdurer la tradition, il offre à son dernier fils des cravates à élastique. Dès l'école maternelle je n'attends pas la photo de classe pour exhiber ma collection petit format. Cette habitude me vaut le surnom de Monsieur Cravate, fils d'Apéraw.

L'agriculture et la coupe du bois ont sculpté son corps. Apéraw se débrouille, il fait son chemin mais ne manque jamais une occasion d'aider son père. Chaque année au début de l'hivernage, il reprend son kadiandou. Abidjé s'énerve, il accable son fils. Travailler plus, accélérer la cadence malgré la chaleur. Vers le mois d'octobre, ils remplissent d'arachides plusieurs sacs de la taille d'un adulte. Après les avoir empilés les uns sur les autres, ils louent un camion pour le transport de marchandises. À Bignona, à Sindian, d'autres cultivateurs attendent avec leurs fils. Tous les Diolas du Fogny à la queue leu leu. Plus vous avez d'enfants, plus les sacs sont nombreux. Ça permet de cultiver en deux-deux. Le Sarakholé Sitapha Touré et le Libano-Syrien Joseph Basile achètent les arachides. Les Libano-Syriens sont de plus en plus nombreux au Sénégal. Ils sont en rude concurrence avec les Français dans le commerce de l'arachide. Initialement en partance pour l'Amérique via Marseille, ils ont débarqué finalement au Sénégal. À la différence des Français, ils sont moins craintifs. Ils vont en profondeur dans la brousse, apprennent la langue, épousent des Diolas et fondent des familles.

Tous ceux qui ont vendu des arachides ils connaissent Joseph et Sitapha. À l'époque eux ils vont dans tous les villages pour ramasser les arachides.

Sitapha et Joseph sont à la tête de grands magasins et tiennent les comptes sur des papiers. Ils notent tout, font semblant de bien compter, de tout bien peser pour un commerce équitable. Ils se vantent d'être les meilleurs acheteurs de la région. Les autres sont des voleurs ceci cela. Mais comme souvent, celui qui fait le plus de bruit est celui dont il faut se méfier. Celui qui s'en ira un jour sans payer.

Les arachides sont stockées puis acheminées en chalands le long du marigot jusqu'à Ziguinchor. Les sols sont riches, la plante pousse bien. On obtient de grands rendements en quelques semaines seulement. Pendant la Première Guerre mondiale, la France transforme les arachides en huile de graissage, en glycérine pour les munitions. La production s'intensifie à partir de la Seconde Guerre mondiale afin de faire face à la pénurie d'huile végétale en Europe. Les graines sont distribuées gratuitement, les paysans récalcitrants sanctionnés. À l'origine, les Diolas sont d'authentiques riziculteurs. Ils savent distinguer leur riz des variétés mandingue, asiatique ou d'importation portugaise. Malheureusement, le déficit pluviométrique les force à adopter l'arachide comme culture commerciale. En plus d'être moins exigeante en eau, la légumineuse se vend mieux. À la fin des années 1950, on parle de centaines de milliers de tonnes d'arachides décortiquées.

Apéraw prend une pause dans le récit. Je ne saisis pas l'ampleur de cet empire. Il recharge sa pipe, tire deux bouffées, réajuste son chapeau.

Regarde en face. Tu vois le bâtiment là-bas, le long long ?

Oui je le vois. J'ai compté. Quatorze étages.

Au port à Ziguinchor, les bateaux ils sont longs comme ça. Des arachides jusqu'àààààà.

Apéraw siffle. *Jusqu'àààààà. Au port on voit que ça. Des arachides. Des arachides seulement. En pagaille. Nooon. C'est trop. Si tu vois avec tes yeux toi-même tu vas pas croire.*

Abidjé et son fils sont seuls au milieu de la forêt mais le père chuchote. Il parle une main sur la bouche et ponctue ses fins de phrase : « Est-ce que tu as bien gardé dans ta tête tout ce que je t'ai dit !? Les histoires ça doit rester dans la famille ça doit pas sortir. » Abidjé a constaté les ravages qui ont balayé Kagnarou en un rien de temps. Son fils ne va pas supporter de travailler sous la contrainte, il va refuser de s'épuiser à enrichir le petit nombre. Les billets de banque s'entassent dans la maison, on ne peut pas dire que l'argent manque, Abidjé et Apéraw ne s'endorment jamais le ventre vide, ils vivent sans la peur du lendemain. Mais les mots d'Akamana ont travaillé l'esprit d'Apéraw. Les jeunes tentent l'aventure ailleurs, pourquoi pas lui ? Et si, en restant sur place, les choses venaient à mal tourner ? L'époque de l'agriculture est révolue, d'autres portes se sont ouvertes. Une autre vie est possible, laquelle, il ne sait pas encore. Il tentera sa chance, il verra bien où la vie le mène. Bignona dans un premier temps, ensuite au-delà, petit à petit. Il va faire un tour, voir la vie de l'autre côté et revenir, mais les choses ne se passeront pas comme prévu. Son attitude est celle d'un jeune capricieux qui veut grandir et échapper à l'autorité du père, s'émanciper, oui, s'en aller loin d'ici, loin des êtres qui suent pleins de misère sous un soleil lourd en cavalant comme des fourmis. La nuit il ne dort pas, il chasse l'image de son père qui courbe le dos sous le poids des sacs d'arachides. Avant le chant du coq, il entend le pas des femmes de Kagnarou qui vont saigner les lianes à caoutchouc dans la brousse. En vérité, Apéraw quitte son village natal, avec peine, pour ne pas être témoin du triste spectacle. S'il revient un jour rien ne sera plus comme avant.

Un avion apparaît dans le ciel. Apéraw bombe le torse et, en pointant l'appareil du doigt, il lâche cette phrase : *Papa, un jour je pisserai sur ta tête.*

La seconde d'après il regrette, il ne sait pas ce qui lui a pris. Normalement une insolence pareille lui vaudrait une chicotance lente et douloureuse. Mais va savoir pourquoi, le vieux a bien entendu et ne s'en offusque pas. Bouregh n'est plus un enfant. Pour la première fois, il défie son père non par excès d'indiscipline mais en lui signifiant sa plus grande reconnaissance. Apéraw prend du galon, il récidive l'année suivante au moment de la récolte des arachides. Il commence le ramassage malgré l'avis contraire du chef de famille. Un matin, alors qu'il est arrivé à la moitié, son père se lève et dit : « Maintenant c'est bon, les arachides sont cuites, on peut commencer à ramasser. » Une fois sur place, Abidjé constate l'état du terrain. Tout a été enlevé. Tout a été ramassé. Il souffle : « Heureusement tu m'as pas écouté, sinon on aurait tout perdu. N'écoute pas tes parents, ne fais pas confiance à tes frères. Dirige ta tête. Guide-toi tout seul. » C'est le meilleur conseil de toute une vie.

Tout le monde a une chanson
Y a pas quelqu'un qui n'a pas sa chanson
Les oiseaux chantent, le serpent chante, même la souris
elle chante, non ? Nous on chante pour avoir la force
de travailler
Mais les chants ça reste dans la forêt, ça sort pas

Dakar

Dans une cuvette remplie de sable, des femmes mélangent les précieuses arachides avec la souplesse des chercheurs d'or. Des hommes emmitouflés dans leur sabador trois pièces se hâtent dans les rues de Dakar. Les pots d'échappement crachent leurs fumées noires. Au milieu du trafic perturbé et dans les gares, des estropiés rampent sur le sable rouge et viennent quémander. Ils abordent les potentiels bienfaiteurs, invoquent la protection et la miséricorde d'Allah. Les gens détournent la tête par gêne ou désintérêt total.

Apéraw débarque dans la capitale sénégalaise vers 1964, sans prévenir son père.

À Dakar, tout le monde apprend un métier. Y en a des mécaniciens, des forgerons, y en a qui sont boulangers ou pompiers.

Dakar ce n'est pas Bignona. Ici tout est saturé, tout va beaucoup plus vite. Lamine Sagna, un gars de Baïla, devient son tuteur légal. Il lui explique comment se comporter et lui donne des astuces. Le moindre faux pas et tu es cuit. Les conseils ne valent jamais l'expérience. Apéraw apprendra le reste sur le tas. Lamine il a fait des études. Des études supérieures. *Il en a la chance, c'est rare.* Il travaille à la Compagnie Radio Maritime. Et il peut se vanter de mener une existence confortable.

Les associations de Kagnarou installées à Dakar préparent de grands festins. On chante et on danse du vendredi au samedi et du samedi au dimanche. Lamine est bien costumé bien cravaté. Un très beau jeune homme. À l'écart avec ses amis, ils sirotent des jus de gingembre pimentés. Et ils dépensent, ils dépensent. Ils ne se privent de rien. « Viens par là, je vais te présenter à mes camarades. » C'est son tuteur, Lamine, son responsable, il tient ce rôle à cœur. Apéraw tend la main à Untel employé à la poste, tel autre à l'université, et un troisième, Abdou Coly, qui travaille à l'ambassade. Eux aussi ils sont propres sur eux. Des gars de la haute. Des gars brillants, à les entendre parler leur français châtié. L'employé à la Compagnie Radio Maritime lui confie des missions. Il l'envoie acheter de la viande grillée. Sa propension à dépenser sans compter agace Apéraw. *Mais lui là, son argent il finit pas ou quoi ? Mauvais hein...* Un soir il lui fait la remarque. *Il faut faire doucement doucement avec l'argent. Toi tu achètes n'importe quoi. Vaut mieux acheter un terrain et construire des maisons. C'est mieux.* Lamine ne supporte pas les remarques.

De l'argent il en a, il en gagnera encore à la fin du mois. Et puis les sous, c'est fait pour être dépensé, plus particulièrement devant témoins.

Les soirées organisées par les associations de Kagnarou ont lieu à Fass, à Gueule Tapée ou à Grand Dakar. Apéraw emprunte les cravates de Lamine mais elles ne lui donnent pas la même prestance. Il porte une petite caisse autour du cou. Il apostrophe les fêtards. *Y a des chewing-gums ! Y a des chewing-gums hein ! Les chewing-gums sont là !* Il se fait sa place parmi les vendeurs de rue. Les clients un peu mous, il leur force la main. *Vas-y c'est pas cher. Ça vient d'Amérique. Comment tu veux parler avec les filles ce soir si ta bouche elle sent ?* Les chewing-gums achetés en gros chez des commerçants mauritaniens et revendus au détail peuvent lui rapporter jusqu'à 2 000 francs CFA de bénéfice. Un salaire comparé à la mécanique, son nouveau métier. Depuis qu'il fait face à l'océan, Apéraw a des objectifs clairs. Rejoindre l'Europe ou l'Amérique, s'acheter une parcelle, construire une maison. La vie de mécanicien est dangereuse. Un copain de l'atelier respire l'odeur de peinture sans porter de masque. La toux l'emporte. Apéraw doit vider sa tirelire à chewing-gums afin d'accompagner le mort vers sa dernière demeure. Que la terre lui soit légère.

Apéraw est apprenti mécanicien. Il travaille plusieurs années à l'atelier mais restera toujours apprenti. Il apprend à démonter complètement les moteurs de voiture, pièce par pièce.

Ressort de soupape
Allumeur
Alternateur
Ventilateur
Pompe à eau
Durite
Tuyau PCV
Couvercle de culasse
Câble de bougie

Ce sont ses premiers mots de français. À ses débuts, il se contente d'observer et de mémoriser le nom des pièces. Petit à petit, il monte un business parallèle. De la main droite il répare, de la main gauche il chaparde. Les clients voient flou. Il vend aux uns ce qu'il vole à d'autres, transforme un alternateur en bon état en machin usagé.

La chaleur l'assomme. Le chef le surprend plusieurs fois assoupi sous le capot des voitures en train de serrer un frein ou d'ajuster un boulon. Un copain vient le secouer. « Boy Diola ! Le villageois ! » Les gens ne font pas doucement doucement ici. Bien qu'à l'aise en salutations, Apéraw est zéro en wolof. Ses interlocuteurs s'en étonnent : « Mais lui il est con ou quoi ? Pourquoi il sourit bêtement comme ça ? » On leur explique : le gars là c'est un Diola, le genre à errer presque nu dans les forêts du Sud, il se nourrit de feuilles et de racines. Mais l'apprenti est capable de ripostes foudroyantes. Bon, le wolof ce n'est pas sa langue, il s'en fout. Deuxièmement, sans les bras robustes des cultivateurs casamançais, il y aurait eu du vent dans leurs bols. *Quand tu vas au marché, les fruits, les légumes, le riz ça vient de chez nous. Vous vous connaissez le sable seulement.* Les copains rient, c'est de bonne guerre.

Parfois, son chef l'envoie jeter un œil au moteur des bateaux sur le port de Dakar. Les bateaux partent vers la Chine, la France, la Suède, les États-Unis. Apéraw se fait des copains au garage. Des tôliers, des spécialistes de la carrosserie, de la peinture. Des gars de Thiaroye bien musclés, avec les yeux rouges et tout. À midi, quand la sonnerie retentit, ils déposent clés à molette et pinces coupantes. Les mécaniciens trempent leurs mains dans une bassine d'eau chaude et s'installent autour d'un bol de riz. Les retardataires retournent au charbon le ventre vide.

On mange à l'atelier à midi mais le soir on doit se débrouiller. Personne te donne à manger. Le soir moi je vais dans les tanganas je mange du pain avec du café. Parfois je bois du kinkeliba.

Une infusion brûlante remonte dangereusement de la théière. Le pain, beurré et enveloppé dans un journal, est servi aux clients. Un garçon intervient. Prudemment, il soulève la théière, la remue entre ses doigts agiles avant de la reposer sur le gaz. Apéraw est assis sur les bancs en bois. Si la paye est bonne ou si un copain a augmenté le budget, il fait signe au gérant d'ajouter du beurre dans son pain. *Il faut augmenter, encore. Encore. Hé hé hé c'est pour qui ça ?*

On dirait t'as mal à la main. Mais le gérant juge la quantité suffisante. Ça va ça va comme ça.

En sortant de la tente du tangana, Apéraw tombe sur une femme de Kagnarou (longue vie à elle). Il baisse les yeux, il fait semblant de ne pas avoir remarqué sa présence. Les jours passent. À leur prochaine vraie entrevue elle lui prend la tête : « Mais toi là tu manges où le soir ? »

Parfois dans les tanganas. Je mange du pain et du thé.

« Donc toi tu sais qu'il y a des gens de Kagnarou partout et tu n'oses pas venir manger avec tes frères. Pourquoi tu fais ça ? »

Il ne sait pas, par fierté sans doute, la honte ne se partage pas. Apéraw n'est pas le seul à vivre ce genre de situation. Comme lui beaucoup comptent leurs CFA sous la tente. Il pourrait se présenter chez des connaissances au moment des repas ou rentrer à Kagnarou et entendre son père lui faire des reproches : « Je t'avais prévenu, toi t'écoutes pas quand on te parle. Comme tu veux plus cultiver, personne va te donner à manger. C'est bien fait pour toi. » Mais non, Apéraw préfère se démerder solo. Au village, pourtant, il ne se plaignait pas. Les rizières offraient du riz de qualité. Le baril était toujours plein, on lançait les restes aux chiens. La faim était temporaire, pas chronique. Un jour, les animaux ont couru, la pluie a cessé de tomber, et à présent il est là loin des siens, affamé comme un chien des rues.

Nooon. Chetetet ! Mauvais. Aujourd'hui son esto-
mac lui envoie de sérieuses rafales.

*Après elle m'invite chez elle, quand il reste quelque
chose elle me donne.*

Je me démerde. Je me débrouille tout seul. Il ne dit
rien de plus.

Se débrouiller pour manger.

Silence.

J'ai vu la souffrance, moi.

Apéraw prononce cette phrase en mettant le doigt
devant son œil. Comme s'il avait vu de ses propres
yeux le visage de la souffrance. Pendant toute la
durée de nos entretiens, il mène la danse. Le récit
commence là où il veut et s'interrompt quand il le
décide. Il n'a de comptes à rendre à personne. Il réajuste son chapeau, change de sujet, croise les jambes
et secoue la première au-dessus de la seconde. C'est
un signe de nervosité. Une crainte doublée de respect
m'empêche d'aller plus loin. Après un moment de
silence il revient vers moi. Son fils doit savoir.

*On peut pas retourner dans la souffrance. C'est pour
ça quand on sort on fait attention maintenant. On peut
pas retourner. C'est beaucoup la souffrance.*

Apéraw et ses collègues de l'atelier partagent
l'argent durement gagné. 100 francs CFA ou plus si
on compte les vols et les arnaques. Il fume une ou
deux Gauloises vite fait. Rentre chez son tuteur.

Lamine Sagna est lié à Kagnarou mais il a grandi
à Baïla. Il est l'un des premiers de sa génération à

s'être installé à Dakar. C'est pourquoi il est très sollicité en cette période de grand exode. Des jeunes filles s'engagent comme bonnes après les travaux de repiquage du riz. Des hommes arrivent tous les jours. Lamine héberge du monde. Un soir quelqu'un frappe à la porte. C'est Yaya. Il vient de mettre un terme à ses études, il ne se sent plus de vivre en Casamance. Dakar c'est mieux pour tout le monde. En voilà une première nouvelle. Le petit frère n'a même pas encore posé son sac qu'Apéraw enchaîne : *La vie c'est pas simple ici. Tu dois te battre. Tu te bats et après tu n'as rien. Et les gens à Dakar ils s'insultent comme du n'importe quoi. Les gens ils courent jusqu'à fatiguer. Mauvais hein…*

La deuxième nouvelle ne se fait pas attendre. Le petit frère a abandonné l'islam pour le christianisme. À présent il ne faudra plus l'appeler Guikeuf, ni Yaya. Ces prénoms impurs remontent à l'époque où lui et les siens étaient égarés. Il est repenti maintenant, dans le droit chemin. Tout ça c'est fini, à partir d'aujourd'hui il faut l'appeler Lecléon. Apéraw n'a pas son mot à dire, c'est sa volonté. Puisque eux-mêmes ont progressivement abandonné la religion des kounifaanaw pour vouer un culte à des divinités étrangères, est-ce qu'il a le droit de critiquer le choix du petit frère ? Les gens de Diourou ont fait de Yaya un fervent chrétien. Il les voyait en tenue, grosse croix autour du cou et il a fini par les suivre à la messe le dimanche. Lecléon ne fait pas dans la demi-mesure, il se signe avant de frapper le riz. Il parle de l'amour et du sacrifice du Christ. Apéraw mange du pain et du thé le soir, son petit frère ne l'imagine pas. Ils sont dans la merde jusqu'au cou. C'est difficile de trouver le sommeil dans cette ville. *Pourquoi ? Pourquoi tu es venu ? C'est beaucoup de problèmes.* Lecléon est à Dakar parce que les jeunes ont déserté le village. Triste spectacle en haut à Kagnarou. Il est à Dakar pour être auprès d'Apéraw et apprendre un métier. *Moi j'aurais préféré tu continues l'école. Toi tu es instruit, c'est toi qui devais avoir quelque chose normalement.*

Ça ne sert à rien d'argumenter, Lecléon n'a pas honoré sa promesse. Il ne se souvient plus du jour où son grand frère lui a dit sur son vélo en le déposant devant l'école : *C'est toi qui vas nous guider un jour.*

Apéraw se détend, il ne garde aucune rancœur.

Ah mais si moi je suis là ça veut dire toi aussi tu as le droit d'être là. C'est normal. Bon et sinon la famille à Fatiay ? Tout le monde est là-bas ? Et notre papa ? Et les petites sœurs, Mabinta et Maï, elles ont grandi ?

« Tout le monde est là-bas. Grâce à Dieu. »

C'est bien c'est bien. Si tout le monde a la santé, c'est l'essentiel.

Le papa a un message à lui faire passer, il n'a toujours pas digéré l'affront. Il dit : « Toi tu as fui le travail au village. Si je t'attrape je vais te tuer. »

Un seul seau d'eau fraîche, rapide, et le frottement rapide du niampé sur le corps pour se débarrasser des saletés de Dakar. Tout le monde fait du sport. À n'importe quel moment de la journée on peut voir des jeunes hommes s'entraîner. Ils courent, sautent à la corde sur les terrasses à côté du linge étendu. Ils vont au stade. Apéraw aussi s'entraîne. Après l'atelier il court. Son entraîneur à la boxe insiste avant tout sur l'endurance. Le stade est rempli. Policiers et pompiers se mêlent aux jeunes. Certains travaillent seuls, improvisent quelques mouvements gauches et dangereux, d'autres suivent les discours et les conseils d'un chef. Tous les jours, ils viennent tirer sur les muscles du corps. Ils frappent sur des sacs imaginaires, ils sautillent, s'étirent pour s'éviter une blessure. Flexion. Extension. Flexion. Extension. Ils pompent ils pompent. Les hommes tirent encore et encore sur les muscles. Ils ne laissent à leur corps aucun répit.

Muhammad Ali c'est l'exemple, c'est la base en fait. Les graines de champion apprennent à reproduire son jeu de jambes. Frappent dans le vent, esquivent et cognent.

C'est lui le plus fort. Après lui la boxe c'est fini mais avant c'est lui le plus fort.

Apéraw se met à mimer des crochets dans le salon, se met en garde, se baisse, esquive, remonte en uppercut. J'avoue, il se déplace pas mal quand même. C'est normal, il est diola, il connaît le sens du déplacement.

« Tu as déjà combattu ? »

Non, ça va pas la tête !? Des fois on nous dit de monter sur le ring mais nous les Diolas on connaît pas ça. Nous on fait le sport pour la santé, c'est tout.

Si Apéraw ne monte jamais sur le ring, Lecléon le fait à sa place. Sur le tatami plus exactement. Le lutteur, petit mais costaud (Kagnarou s'en souvient encore), devient judoka. Apéraw assiste à tous ses combats. Lecléon lui doit beaucoup. Apéraw lui a appris à cultiver, lui a montré le chemin de l'école et il l'encourage. Il peut être fier. Le petit frère terrasse ses adversaires. Un à un. Le judoka terrassera tout le régiment pendant ses années à l'armée. Toutes les armées, les Gambiens, les Arabes. Zéro défaite. On le croit en colère, mais lui il s'amuse, le sport c'est seulement pour la santé.

Ça devient un peu chaud chez Lamine. Les arrivants continuent de frapper à la porte. Un soir, après la douche, il interpelle Apéraw. Il adopte un diola solennel, celui des nouvelles importantes. Le mécano n'est pas de bonne humeur. La journée a été dure et sèche comme un mois de décembre. Bon, tu te souviens de cette fille ? Oui, Apéraw s'en souvient. Voilà, Lamine l'aime et il veut la prendre comme deuxième épouse. Ses parents sont d'accord. Apéraw est heureux, Lamine a fait le bon choix. Il lui tape sur l'épaule. En surface c'est une grande nouvelle. Mais le mariage de son tuteur signifie autre chose pour Apéraw. Il doit quitter l'appartement, voler de ses propres ailes. Lecléon, encore adolescent, peut rester, le temps de trouver une occupation plus lucrative que ses réparations de petites radios.

Apéraw loge dans une chambre de l'ambassade britannique à Dakar. Sur invitation d'Abdou Coly. Le jeune homme est le chauffeur de l'ambassadeur.

Apéraw considère Abdou comme son frère. Ils vont à la chasse, transportent du gibier dans la voiture. L'ambassadeur remarque des rayures sur la carrosserie, il les recadre mais ils s'en moquent. Apéraw prend part peu à peu au train de vie d'Abdou, à répondre aux exigences de son patron. Tous les trois, ils se rendent en Gambie à plusieurs reprises. Pour une raison bien précise. Monsieur l'Ambassadeur veut acheter de l'alcool fort. Il veut se péter la tête : il faut pouvoir tenir sous les tropiques. Sur le trajet, il se plaint de la chaleur et des insectes. Apéraw est à l'arrière du véhicule bleu et blanc, il pioche dans le paquet de cigarettes de monsieur l'Ambassadeur, qui ne voit pas clair derrière ses grosses lunettes. Le représentant de l'Angleterre soupire, devient tout rouge et trempe sa chemise. En Gambie, il séjourne dans un hôtel en bord de mer. Ses deux accompagnateurs refusent son invitation à dormir là. Ils ont des relations en Gambie. Des parents de Kagnarou à voir et à saluer. Apéraw se plaint de douleurs au ventre, au lieu de lui indiquer le chemin des toilettes on lui tend une bassine : « Tu fais dedans ensuite tu jettes loin là-bas. » De retour dans la voiture, il supplie l'ambassadeur d'user de son pouvoir. La situation est critique. La reine Elisabeth doit être avertie de l'absence de toilettes sur le sol gambien.

En 1967, Senghor sollicite de l'Ambassadeur une aide pour l'implantation d'un Institut britannique. Quelques mois plus tard les travaux commencent et la reine Elisabeth en personne vient poser la première pierre. Léopold Sedar Senghor est là. Apéraw suit le cortège. Il est dans la voiture bleu et blanc avec Abdou Coly, juste derrière celle de la reine. Les balcons des maisons sont pleins à craquer. Sur le bord de la route bondée, des bébés sur le dos de leur mère suent à grosses gouttes. Habitués des entraînements intensifs au stade de Dakar, les spectateurs les plus robustes courent de toutes leurs forces pour rattraper le cortège emmené par des chevaux.

La reine Elisabeth n'en est pas à son premier voyage sur le continent. Dix ans plus tôt, elle s'était rendue au Ghana pour mettre en garde Kwame Nkrumah contre la tentation de s'allier au camp soviétique. Sur une photo en noir et blanc prise à Accra, on la voit danser au bal avec le président. Le Ghana est devenu une république indépendante avant les autres, mais pas tout à fait. Sa Majesté est façonnée par l'éducation occidentale. Elle a une haute estime d'elle-même et de ses devoirs. On lui a appris très jeune à considérer l'Afrique pour ses richesses ou comme un moyen de s'exhiber par des actions philanthropiques et maternalistes. Elle se fait prendre en photo, en sauveuse, avec des enfants noirs dans les bras, ou pire, la main posée sur leur tête. Au moment de sa visite à Dakar, elle a quarante et un ans.

Juin 2012. Le jubilé de la reine est retransmis en direct à la télévision. Le Royaume-Uni affiche sa puissance navale. La barge royale de Sa Majesté est escortée par une armada sur la Tamise. Les coups de canon tirés sont à la hauteur de l'importance de l'événement. Soixante années de règne ça se fête. La reine Elisabeth fait coucou à la foule en délire. Les plus fanatiques ont dû attendre pendant des heures. Elle fait coucou et Apéraw répond. Il en est persuadé, ce mouvement de la main lui est adressé. Une belle récompense qui mérite un sourire. Il ne s'est pas réveillé tôt pour rien.

Mais revenons à Dakar. En 1967. Autour de la reine, une flambée de gardes anglais et sénégalais. Ils portent des blasons et l'étendard de la maison de Windsor. Les badauds insistants reçoivent des coups. On joue des coudes pour observer de plus près ce visage pâle. C'est qui elle ? Elle fait quoi ? Certains se posent effectivement ces questions. Elle doit être importante. On en oublie presque le pauvre Senghor. Au milieu de la foule, elle s'approche et tend la main vers Apéraw. Il la saisit, ils échangent un sourire. La tension est à son comble. Apéraw a les mains moites, il n'a pas eu le temps de les essuyer sur sa chemise ou son pantalon. Heureusement la reine porte des gants. Blancs jusqu'au coude. Avant elle, Apéraw n'avait jamais serré la main d'une Blanche.

Apéraw a besoin de changement. De nouvelles opportunités s'offrent à lui, il n'a rien à perdre. Il entreprend un long voyage jusqu'au Liberia à la recherche de Yancouba, un frère disparu. Yancouba est bon élève. Il est parti étudier la médecine à l'université de Monrovia, la première et plus importante d'Afrique occidentale. Le président William Tubman rêve de former dans son pays les médecins africains de demain. Il a obtenu l'aide du gouvernement italien et du Vatican pour la construction d'une faculté de médecine. Yancouba fait partie des premiers étudiants. Il correspond avec Apéraw et promet de l'aider. Lamine et Abdou traduisent et répondent au courrier. Yancouba et Apéraw sont frères, mais ils pourraient se croiser dans la rue sans se reconnaître. Ils sont nés à Kagnarou, dans la même concession, à la seule différence que le premier a grandi dans un village gambien. La pratique est courante. Des jeunes garçons et des jeunes filles sont confiés à un oncle ou une tante et grandissent loin de leurs parents. Ils sont libres une fois adultes de venir les saluer. Parfois ils reviennent trop tard, on leur dit : Voilà vos parents. Et on leur montre une tombe. Mais Yancouba et Apéraw se sont vus au bois sacré, l'année de futampaf. Ils ont suivi le rite initiatique ensemble. Leur fraternité en a été renforcée.

Yancouba a obtenu une bourse et peut aider son frère à trouver du travail ou à financer son voyage. Apéraw saute de car en car, traverse le Mali, marque un temps d'arrêt en Côte d'Ivoire pour remplir son ventre et récupérer des sous pour la suite du périple. Son père lui avait toujours dit : « Partout où tu vas, demande si tu n'as pas des parents. Peut-être ils peuvent te garder. » Il descend à Koumassi et demande à rencontrer les Diolas. Finalement ce détour va durer un an. Parce que du temps d'Houphouët-Boigny, Abidjan est trop doux. C'est la capitale de l'Afrique noire. La musique est bonne, l'alcool coule à flots, le cacao et le café rapportent gros. Le président l'a dit : « La terre appartient à celui qui la met en valeur. » Comparée à ses voisins, la jeune république tire son épingle du jeu. Les Sénégalais, Guinéens, Voltaïques, Togolais et Dahoméens sont guidés par les lumières du port.

Apéraw dit à ses copains d'Abidjan, *Je vais en Amérique*. Mais arrivé à Monrovia, il comprend, effectivement il est toujours en Afrique. Il connaît l'histoire du Liberia. Des esclaves libérés de l'autre côté de l'Atlantique. Son niveau d'anglais est proche du néant. Par je ne sais quel moyen, il réussit à enquêter sur son frère. S'il était arrivé quelques heures plus tôt ils auraient pu se croiser, mais le futur médecin est retourné en Gambie. Apéraw erre dans les rues de Monrovia, il pose son sac et attend patiemment le retour de son frère, dix jours plus tard. En tout il passe un mois au Liberia avant de retourner à Dakar. Yancouba n'a pas d'argent à lui donner. Il est trop pris dans ses études et la bourse du gouvernement, quand il la touche, ne lui suffit pas.

Même si on n'a pas grandi ensemble, moi je l'ai toujours tenu comme mon frère. Pendant des années je l'ai pas lâché, je l'ai cherché cherché partout. Lui il a beaucoup étudié. Toi je t'ai donné son nom comme ça tu vas faire des grandes études toi aussi. Tu vas beaucoup gagner.

À l'atelier fatigué
Au sport fatigué
À l'indépendance fatigué
On court tout le temps à Dakar
Dans le temps là c'était biiiiien

Jour de gloire

Une lettre décorée du grand sceau de la République française, et portant la signature du président de la République, est arrivée ce matin. À l'intérieur de l'enveloppe, j'ai trouvé la Déclaration des droits de l'homme et du citoyen de 1789 et *La Marseillaise*. Sur la couverture du dossier bleu blanc rouge figure le tableau d'Eugène Delacroix, *La Liberté guidant le peuple*. Marianne, les seins nus, brandit le drapeau devant la foule. Apéraw est officiellement « réintégré » dans la nationalité française après plus de quarante années passées sur le sol français.

Aujourd'hui, comme souvent, il est assis au fond de son fauteuil, jambes croisées, bonnet Cabral sur la tête. Il porte une cravate sous un pull sans manches et fume sa pipe, crache et recrache la fumée avec insouciance. Je lui lis la lettre. En fait, je ne la lui lis pas vraiment, je la résume en quelques mots, j'omets volontiers les passages solennels.

« Ça y est, ils ont accepté, t'es français ça y est. »

Ça se passe en janvier 2010. J'ai dix-neuf ans. C'est l'heure du JT sur TF1. Apéraw demande à explorer le contenu de l'enveloppe, il fait glisser son doigt sur *La Marseillaise*. Il ne dit rien, il range la lettre sous son lit, au fond d'une malle brune et poussiéreuse, parmi d'autres documents plus ou moins importants comme les courriers de la banque ou de la Sécurité sociale. Nous ne célébrons pas l'événement, nous n'échangeons aucun sourire complice, nous ne témoignons aucune fierté. Il ne réagit pas du tout. Il croit au déroulement normal des choses, comme si devenir français était pour lui une évidence. Une évidence, pas une récompense.

« Est-ce que t'es content ? Ça te fait plaisir ? »

Ah ouais ! Tu sais combien de temps on fait la queue pour une carte de séjour à la préfecture !? La dernière fois je suis arrivé à six heures du matin et tu sais à quelle heure je suis sorti ? Six heures du soir !

Je repense à toutes les fois où nous l'avons accompagné tôt le matin à la mairie ou à la préfecture. Il venait pour signer. Nous on parlait à sa place seulement. Avec le temps, c'est nous qui l'avons assisté dans ses démarches.

Dans le monde entier y en a pas deux pays comme la France.

Aujourd'hui il ne dit rien. Malgré les quarante-et-un printemps passés en France, il reste un Sénégalais arrivé par bateau un jour de 1969 avec un numéro de série, transformé en ouvrier à la chaîne.

Cet été il voyagera avec ses deux passeports, sénégalais et français. Au moment de franchir la douane à Roissy, il esquissera un sourire. Il est de l'autre côté.

Océan

C'est l'heure. Tous les matins, avant que l'appel du muezzin résonne dans les entrailles de la ville, tu quittes ta chambre. Tu lèves ton corps de ce matelas usé, tu te demandes dans l'effort si tu le fais pour la dernière fois. Tu te demandes si demain tu pourras retenter ta chance. L'année passée au printemps tu étais à Abidjan. Tu occupais un poste de mécanicien, tu réparais les voitures. Tu aurais pu t'y installer et fonder une famille. Que serions-nous devenus si tu avais posé définitivement tes valises en Côte d'Ivoire, au Liberia ou au Nigeria ? Tu as pris un car pour Abidjan mais ton retour à Dakar t'a convaincu de la nécessité du voyage. Dieu est à tes côtés. Pas un jour ne passe sans que tu accomplisses tes cinq prières, sans que tu prononces ton attestation de foi. Il saura un jour te récompenser, faire fleurir ces graines plantées depuis l'enfance. Tu as marché, mêlé tes pleurs aux grains de sable rouge. Tu as vu la souffrance avec tes yeux, tu as eu faim, tu as cherché ta place dans ce monde, usé ta jeunesse. La victoire est proche.

Tu as peu dormi mais tu ne sens pas la fatigue. Tu avales rapidement une tasse de kinkeliba et un morceau de pain. Le soleil n'est pas encore chaud. Ni les hirondelles, ni les coqs, ni le muezzin n'ont chanté leurs versets. Dakar dort, les forgerons n'ont pas commencé à faire rougir le fer, les marchands n'ont pas installé leurs étals de fruits et de légumes. Un copain t'accompagne. Je ne le connais pas, tu ne te souviens plus de son nom. Vous faites le chemin. Vous voulez partir. Ni toi ni lui ne savez où ni quand. Beaucoup de gens ont traversé. D'autres comme toi se sont levés et ne sont jamais revenus. Ils n'ont pas eu le temps de saluer mais on a pensé à eux, on a prié en ne les voyant pas revenir. Tu sors de cette chambre, tu l'embrasses une dernière fois du regard, et en longeant les murs tu entends coincés à l'intérieur des baraques les ronflements des hommes.

Tu portes un sac, à l'intérieur un syllabaire, des documents et tes papiers. Ton passeport tu le gardes dans ta poche, dans laquelle tu fourres ta main pour bien protéger ce document précieux. Tes mains moites agrippent le petit carnet. Si tu le perds là maintenant, tu devras attendre longtemps et la grille sera fermée. Dans la nuit presque noire tu prends la direction de l'océan Atlantique. Tu marches sur le sable que le soleil n'a pas encore réchauffé, le parfum du pain qui cuit depuis le fournil emplit tes narines. La ville se réveille sous tes foulées.

Tous les matins tu penses au départ. Les passants te saluent. Le regard des chiens errants te dit au revoir. Le visage du vieillard te dit au revoir. Tu contemples les gens et les choses, et ce décor te rend triste. Ces gens vont poursuivre leur vie demain. Ils vont vivre comme ils le font présentement, jusqu'à devenir comme le vieillard assis sur sa chaise. Ils vont remâcher leur existence sans goût. Ton regard est tourné vers l'Europe. Tu n'as pas peur, ce n'est pas le déchirement du cœur mais l'idée qu'aujourd'hui peut-être tu vas prendre la mer. Aujourd'hui peut-être tu seras l'élu. Tu approches du port et tu sens sur ta peau le souffle de la brise, dans tes oreilles le cahot des vagues et dans tes narines le parfum du sel et des poissons. Ton copain s'est levé à la même heure. Le premier réveil de la nuit est celui du départ. Il ne faut pas se rendormir.

L'entrée du port est surveillée par des gardiens. Tous les jours vous les saluez. Vous devez arriver très tôt, avant les marchands, avant les travailleurs. Les gardiens se chargeront de faire respecter la loi en cas de retard. Une fois à l'intérieur, vous devez attendre. Les gardiens n'expriment aucune émotion. Ils regardent vos corps musclés et vous laissent entrer. Bien sûr, l'accès au port est strictement interdit aux personnes non munies d'une autorisation, mais tout le monde est flexible avec la règle. Cependant il faut être discret et se souvenir des bonnes actions des gardiens.

Le port de Dakar. C'est le bout du monde. Quand vous pénétrez dans les lieux, vos regards errent sur les grandes infrastructures, sur les navires et les tonnes de marchandises. Des dockers charbonnent. Tu vois comme ils travaillent avec entrain ? Tu vois perler sur leur front la sueur qu'ils essuient d'un geste rapide de la main ? Tu lèves les yeux au ciel et tu siffles devant l'immensité. Sur les navires, tu perçois des lettres, tu n'arrives pas vraiment à déchiffrer, ton copain te dit que les bateaux partent vers la Chine, la France, les États-Unis d'Amérique. 1969. Tu es au printemps de ta vie. Tu te demandes comment les navires peuvent flotter avec tout ce poids, et les dockers porter des cordes aussi lourdes. Tu vois avec quelle force ils lancent ces cordes ? Avec quelle force ils les attachent ? Ici la vie te va bien. Tout est beau. Chacun occupe sa place dans cette grosse machine. Le port ne dort jamais. Celui de Ziguinchor te paraissait immense, tu n'imaginais pas celui de Dakar, les bateaux sont plus nombreux ici. En face c'est l'Amérique, tu le sais, Apéraw ? Les vagues viennent cogner doucement contre le bitume. Le son est doux et calme. Tu aimerais monter sur ces bateaux, mais ça te rend nerveux. Les marchandises s'élèvent toujours plus haut, les conteneurs s'ajoutent au poids déjà considérable. Les bateaux à vapeur soufflent leur fumée noire, toi tu siffles. Tu sais ce qu'il y a dans ces conteneurs ? Sais-tu qu'il y a dedans les richesses de ton pays, de la Casamance, celles des pays de l'Ouest qui n'ont pas d'accès direct à la mer ? Tu regardes et tu siffles. Les gens passent devant toi d'un pas rapide. Les voix montent crescendo et les marchandes commencent à hurler les prix imbattables de leurs poissons. Elles portent un pagne de tissu sur lequel pendent des grands coupe-coupe. Lorsque quelqu'un s'approche pour s'informer des prix, elles pointent le poisson dont elles frottent l'écaille avec leur ustensile. Les poissons frais frétillent dans les bacs blancs remplis de sang autour desquels virevolte un essaim de mouches. Avec leur coupe-coupe, elles les chassent mais elles ne peuvent pas toutes les contenir, alors elles les laissent entrer dans leur bouche et se poser sur le coin de leurs yeux. Et puis il y a les vendeurs en tout genre. Ils essaient maladroitement de saisir par le bras les personnes qui embarquent afin de leur vendre un dernier souvenir du pays.

Chacun s'occupe dans ce lieu qui n'était qu'un désert il y a peu. Yooo, regarde cet homme. Lui il vend des sacs et il propose aux arrivants de porter leurs bagages. Il connaît l'heure de départ et d'arrivée des bateaux. Des hommes et des femmes traînent des sacs et posent des barils sur leur tête. Tu vois comme ces femmes sont belles ? Elles font rouler leurs hanches et rendent leurs dents blanches avec un petit bout de bois. Et ces hommes bien vêtus qui tiennent la rampe des bateaux pour embarquer et descendre. Ils entrent et sortent comme s'ils étaient à la maison. Ils font marcher les grosses machines. Cela te fait sourire de savoir que des hommes si petits face aux bateaux les dominent à la barre. Ils sont blancs la plupart du temps mais ils sont assistés, autrement il leur serait impossible de faire voguer ces monstres sur les vagues. Les pêcheurs dont les bateaux disparaissent au milieu des longs immeubles flottants portent des tee-shirts déchirés et des maillots de football. Ce sont les vêtements de tous les jours, défaits, pleins de marques de sueur, avec autant de trous que leurs filets de pêche.

Tu croises des bonshommes esseulés. Vous partagez le même rêve. Tu te demandes depuis combien de jours ils sont ici. Si tu ne les croises pas demain, c'est qu'ils auront réussi à traverser. Tous les jours, tu montes sur les bateaux, et avec beaucoup d'aisance et de politesse tu dis que tu cherches du travail, tu cherches à partir. Du travail en Europe, en Amérique ou en Chine, peu importe. Partir loin d'ici, traverser l'océan pour toucher d'autres soleils. On va te trouver du travail. La France vous a colonisés, vous avez le droit de venir. Vous avez le droit de venir et de rester. Où est-ce que tu veux vivre, Apéraw ? Sur quel continent veux-tu poser le pied en premier ? Tu veux être guidé par les phares de New York ? Tu préfères découvrir le port de Marseille ?

Les Mandingues ont répondu les premiers à l'appel de l'empire. Ce sont eux les premiers à s'être échoués sur les plages normandes. Ils vous ont montré la voie et vous êtes encore plus nombreux cette année à tenter l'aventure. Maintenant il faut partir, tu dois trouver ta place sur un des navires. Tu ne connais pas les eaux profondes de l'océan mais tu n'as pas peur. Tu ne sais pas où tu seras demain, à Dakar ou en pleine mer. Tu ne sais pas non plus si le copain qui t'accompagne sera sur le même bateau. À présent c'est à ton tour de faire le grand voyage.

Tes pères t'ont dit : « Un jour tu iras loin. Mais il ne faut pas oublier Kagnarou. Partout où tu iras fais attention, ne laisse personne te dominer. Ne crains rien. Ne crains pas l'inconnu, fais juste attention, écoute ton cœur, si tu désires vraiment accomplir quelque chose dans ton cœur, alors fais-le. Si quelque chose te fait peur, si tu hésites dans ton cœur, c'est que le chemin n'est pas sûr, retire-toi. » Tu portes un gri-gri noué à la taille, un autre enserre ton biceps contracté et d'autres, invisibles, écartent la malchance de toi. Tu n'as rien à craindre, les kounifaanaw te protègent, te regardent du fond de leur maison. Cela remplit ton cœur de fierté, tes pas se font plus rapides. Tu marches, tu ne te retournes pas. Tu entres dans les bureaux, sur les bateaux, et tu attends comme tout le monde. Un homme assis devant une table tape à la machine à écrire. Des feuilles de papier se soulèvent sous les caresses du vent. Dans le bureau des gens comme toi font la queue. Des hommes seulement. Quand vient leur tour, ils exhibent leur passeport en premier geste. Ensuite ils présentent leurs mains pour qu'on sache s'ils sont ou non travailleurs. Les hommes qui les examinent réfléchissent quelques secondes puis leur montrent une direction. C'est très simple, tu dois attendre ton tour. Toute la matinée tu te présentes sur les bateaux et tu demandes s'il y a du travail en Europe ou ailleurs. L'attente est pénible, tu ne sais pas quelle en sera l'issue. Ton tour arrive et tu déclines ton identité, tu parles d'une voix claire, tu regardes chaque homme présent dans la salle. On te regarde de haut en bas, on regarde tes bras et la première fois on te dit : « Il n'y a pas de travail. » La nouvelle vient de tomber, tu resteras à Dakar, tu peux rentrer chez toi. Sur le chemin du retour, ton copain et toi parlez de votre échec car cela vous soulage. Tu es content de l'avoir avec toi. Dakar fourmille, il est midi et le soleil brûle vos têtes. Ce matin la ville dormait, les fleurs étaient fermées, le sable était froid. Puis les habitants ont repris leurs occupations, ils sont là. À la même place. Le cireur de chaussures interpelle les passants bien vêtus, les jeunes cadres et les étudiants privilégiés. Les forgerons battent le fer au fond des ateliers. Les femmes vendent des arachides grillées et des mangues au bord de la route. Ce matin tu pensais ne plus revenir, tu avais dit au revoir aux vieillards mangeurs de kolas, tu avais dit au revoir aux chiens errants, aux ateliers, tu avais dit au revoir au vent. Et à présent tu reviens, tu rentres faire partie des choses. C'est une sensation terrible.

Au soir du quatrième jour de tentative tu te demandes si tu vas pouvoir faire le voyage. Tu fais tes ablutions et en posant le front sur ton tapis de prière tu demandes à Dieu de t'accorder Sa miséricorde. Tu lui demandes de te guider, de te donner la force et la santé de poursuivre. Tu égraines ton chapelet et tu pries avec ferveur. Les prières ne sont pas toujours exaucées. Allah n'a pas le temps d'examiner chaque plainte, celle du forgeron, celle du mécanicien, celle de la femme au fond du baraquement, celle du mendiant, celle des mères qui prient pour les jeunes fils partis.

Sur le chemin du retour ton copain te parle de l'Europe et de l'Amérique. Il te parle des filles, de l'argent dont on ne sait plus quoi faire, des *ice creams,* des grandes maisons et du confort. Ensemble vous échangez des choses, vous ne savez pas si ces affirmations sont fondées mais au moins elles vous aident à espérer. Espérer car il n'y a rien d'autre à faire, tu parcours des kilomètres, soulèves des kilos d'haltères en ayant une seule idée en tête. Demain tu retourneras au port, tu monteras sur un bateau pour demander du travail chez les Blancs. Ne crains rien, ton destin est tracé. Tu ne dois jamais douter des palabres des kounifaanaw. Tu t'endors avec cette pensée. Au matin la lumière du jour filtrée par les fins rideaux te fait sursauter. Tu ouvres les yeux. Le jour est à la fenêtre. Tu bondis de ton matelas, prêt à courir jusqu'au port. C'est trop tard, ça ne sert à rien. La police ne te laissera pas entrer. Ton copain t'attend sûrement au point de rendez-vous habituel. Tu ne t'es pas levé ce matin, anéanti par la fatigue. Ce matin tu ne t'es pas levé et tu ne te l'expliques pas. Dakar l'a fait avant toi. Le muezzin et le coq ont déjà chanté leur chanson. Le sable a déjà commencé à chauffer. Peut-être qu'aujourd'hui tu aurais pu passer, peut-être qu'on t'aurait donné un travail. Tu préfères ne pas y penser.

Le lendemain, tu retournes au port avant l'aube. Ton copain n'est plus là. Les gardiens t'apprennent qu'il a réussi à traverser, il est monté sur un bateau en partance pour l'Amérique. Ce n'est pas possible ! Il a réussi. Cela te rend triste et heureux à la fois. Si tu avais été là hier, tu aurais peut-être pris aussi le bateau pour l'Amérique. Ton copain est monté sur ce bateau et a regardé le rivage s'éloigner, il a eu une pensée pour toi. Il a prié pour que toi aussi tu puisses avoir la chance de partir. Tu ne l'as plus jamais revu et son nom s'est perdu dans ta mémoire. Puisse Allah lui accorder longue vie et prospérité. Son départ t'attriste et renforce ta volonté de partir. Les jours suivants tu effectues le même trajet avec ton sac léger. Sur les bateaux, il y a beaucoup de jeunes comme toi. Ton copain a traversé ! Il a traversé le jour où tu as trop dormi !

Il se dit des choses sur la traversée, des choses que tu ignores et d'autres que tu minimises. Les hommes deviennent fous à force d'entendre la voix de la mer pendant la traversée. Tu sais ce que c'est l'océan ? Tu sais que parfois il peut gronder et se déchaîner sur les flancs des bateaux immenses ? Tu sais que le souffle du vent seul peut faire chavirer ces machines ? Tu montres ton passeport et tu supplies du regard, tu cherches un métier, tu veux être propulsé vers une nouvelle vie. Tu as été apprenti mécanicien à Dakar et à Abidjan, avant d'arriver à Dakar tu étais menuisier à Bignona, mais depuis toujours tu es agriculteur. Tous les pays ont besoin d'agriculteurs. Tu pourrais apporter tes compétences. Les Blancs viennent ramasser des hommes pour les faire monter dans les bateaux. Un jour c'est certain ce sera ton tour. Maintenant tu le connais le grand port, tu sais à quelle heure les pêcheurs commencent leur journée, la façon dont ils sont vêtus. Tu connais les moindres habitudes de la police portuaire. Tu montes sur les bateaux et tu demandes s'il y a du travail. Tu peux tout accepter, même les métiers pénibles. Tu es jeune et fort. Une main t'agrippe, un tampon sur ton passeport et te voilà embarqué comme ça sur un bateau. Dans huit jours Inchallah tu seras en France, au port de Marseille. Hamdoulilah, les choses se sont accomplies par la volonté du Seigneur.

Les gens se bousculent, tout le monde veut être le premier à entrer. Ils pensent que le bateau va partir dès qu'ils auront mis le pied à l'intérieur. Tu dois aussi te défendre pour être le premier, de peur qu'on te refoule en cas de surcharge. Le bateau tangue et tu t'accroches aux bras de tes voisins, des bras recouverts de sueur. Il y en a qui insultent, qui gâchent le départ. Les hommes présents sur le quai essaient de vous calmer et vous entassent tous dans le bateau.

Sur le pont, les hommes chantent « Océan Atlantique ! ». Ils clament ces mots du fond de leur poitrine. Les hommes qui chantent sont comme toi, ils ont été choisis et dans huit jours ils seront à Marseille. Il y a des Manjaks, des Sérères, des Wolofs, des Peuls, des Maliens, des Guinéens, des Gambiens. Tu ne ressembles à aucun d'eux. Tu cherches des visages diolas autour de toi. De l'autre côté de l'océan c'est l'autre continent. L'appel de l'empire a été entendu jusqu'au Sénégal. Vous venez d'embarquer sur ce bateau, et pour l'instant seule la joie domine.

Tu te souviens de ces huit jours de traversée, Apéraw ? Personne pour te dire au revoir au port, ton lit sera vide ce soir. Ils penseront à toi, à ton sérieux, à ton humour et à ces moments de camaraderie. Ils se souviendront du Boy Diola qui dormait sous le capot des voitures, frappé par la chaleur du soleil. Ils se souviendront des chewing-gums qu'il vendait en ambulant. Ils se souviendront des soirées partagées avec toi, des heures de course folle et de lutte au stade de Dakar. Quand tu seras parti, ils penseront à toi et ils riront de tes maladresses et des moments passés avec toi, et puis ils riront encore, ils diront que le Diola là, vraiment, il était fou. Ensuite ils garderont le silence quelques instants avant de retourner à leur tâche, laissant échapper quelques soupirs. Tous les jours ils prieront pour toi, demanderont à Dieu qu'Il te rende la route facile. Et tu vas leur manquer, Apéraw, même s'ils te remplaceront très vite par un autre jeune plein de détermination.

Tu ne dois pas oublier ceux que tu as laissés derrière toi à l'atelier, ceux qui ont été frappés de maladies mortelles.

Ah, Dakar, *dans le temps là c'était biiiiiien*, on riait bien et on travaillait *jusqu'à fatiguer*. Ne sois pas arrogant, n'efface pas ces souvenirs de ta mémoire. La souffrance, tu l'as vue en face et de tes deux yeux, tu as été souvent seul mais il ne faut en vouloir à personne. Certains t'ont aidé, certains ont entendu ton ventre affamé, mais toi-même tu sais que la vie ici n'est facile pour personne. Tu t'en vas. Les vents te poussent vers l'océan. Le bateau va disparaître dans la masse aqueuse. Les gens sur le quai vous saluent tandis que le bateau largue les amarres. Ils ne vous connaissent pas mais ils pleurent, ceux qui lèvent les yeux vers votre bateau sans comprendre ce qui peut vous rendre si joyeux. Quand tu les regardes, ils te font un peu de peine, eux n'ont pas de jour nouveau dans leur vie.

Le voyage est gratuit, tout le monde veut partir et en France on leur propose du travail. « Océan Atlantique, Océan ! » Là, tu sens remonter toute la souffrance, tous les kilomètres parcourus, et tes jambes sont lourdes. Yooo le bateau commence à danser, tu t'agrippes quelques instants car tu as du mal à tenir debout.

Le bateau s'éloigne du rivage, les visages se font plus petits. Le port de Dakar disparaît. Ça y est, tu es parti, maintenant tes yeux se tournent vers la mer. Si seulement ton père te voyait sur ce bateau au milieu de tous ces hommes, il serait fier. Il serait heureux mais dissimulerait son émotion. Ton histoire peut commencer. Tu peux aller en paix.

À l'intérieur il y a des cabines. Cette nuit et pendant toute la traversée, tu partageras la tienne avec six personnes. L'un d'eux est diakhanké, il vient de Tambacounda. Il a marché jusqu'à Dakar. Il a travaillé dans une boulangerie afin de récolter l'argent nécessaire. Un autre est wolof, il a passé toute sa vie à Dakar. C'est un homme bruyant, il gesticule trop quand il parle. Son grand frère travaille dans une usine à Saint-Ouen, il va le présenter à son patron, comme ça ils pourront cotiser et envoyer un peu d'argent à la famille au pays. Il y a Sambou aussi, un Diola. Il est professeur à Dakar. Tu pourras compter sur lui en France.

Tu restes sur le pont à regarder les étoiles. Tu tentes de deviner dans quelle direction le bateau se dirige mais le noir est trop épais, tu ne peux rien voir. Même si tu te penches, tu ne vois rien mais tu entends le chant de l'océan. L'eau est en colère ce soir, Emitey est fâché. Tout le monde se plaît à faire des projets de vie en France, à y construire des maisons dans lesquelles ils pourront élever leurs enfants.

Toi, Apéraw, tu gardes le silence. La nuit tu écoutes la respiration de ceux qui partagent la cabine. Lente et apaisée. Cinq fois par jour vous vous réunissez pour faire votre prière. Un des occupants, le chrétien, prie de l'autre côté de la chambre et ensuite vous vous saluez et vous partagez un repas. La nourriture sur le bateau ne satisfait pas ton appétit. Tu aurais préféré des feuilles d'ékangouley. Jamais vous n'avez manqué de cette plante. Tu te forces à manger. Chaque repas te renvoie au village. Aux discussions avec les jeunes, avec tes parents, tes amis. Tu repenses à Kagnarou, à la grande forêt. Tu souris, les animaux s'échappent dans la brousse. Le matin tu es le premier debout sur le bateau, à vrai dire tu ne trouves pas facilement le sommeil. Le voyage commence à te paraître long. Certains dorment dans le couloir, tournés vers le mur, d'autres assis sur des chaises en fer.

Sur le pont, c'est sans cesse la même mélodie. La respiration des tréfonds de la terre. La mer qui va et vient. Tu as parfois l'impression qu'elle va avaler le bateau. Tu te lasses de ce décor monotone. De l'eau seulement. Partout partout. Les hommes ont arrêté de chanter à sa gloire. Tu t'endors dans le bercement des vagues et tu rêves de l'océan. Tu te réveilles et tu repenses à ta mère. Elle est partie avec un autre homme et tu n'as pas pu lui annoncer ton départ. Personne au village ne sait où tu te trouves. Cela fait des années que tu n'as pas donné de tes nouvelles. Tu penses à ton père comme à personne d'autre. Est-ce qu'il s'en sort avec ses bœufs ? Est-ce qu'il y a quelqu'un pour veiller sur lui ? Le vieux n'a besoin de personne, Apéraw, ne t'inquiète pas, le vieux veille sur lui-même. Tu peux voyager tranquille. De temps en temps, jusqu'à une heure très avancée de la nuit, tu discutes avec ces hommes qui veulent tous raconter leurs histoires, parfois insensées. Chacun vante les mérites de son nom, de son village. Chacun veut raconter une histoire dont il est le héros.

Les Maliens disent : « Moi ma capitale c'est Bamako. »

Les Guinéens : « Moi ma capitale c'est Conakry. »

Les Sénégalais disent : « Moi ma capitale c'est Dakar. »

Toi tu dis : *Moi ma capitale c'est la forêt. Moi j'ai grandi dans une case.*

L'Espagne, puis là-bas au loin la côte française. Marseille ! Vous écarquillez grand vos yeux. L'Europe, la France ! Les chants reprennent de plus belle. Tu voudrais nager jusqu'au rivage, mais tu te noierais. Les plus las puisent dans leurs dernières forces pour venir observer la nouvelle terre. Ceux qui voulaient être les premiers à embarquer sont les derniers à monter sur le pont et ils poussent pour voir le pays dont ils ont longtemps rêvé. Voilà ta prochaine étape, Apéraw. Le bateau vous dépose sur le quai, comme des coquillages au bord d'une plage, un matin. Maintenant vous devez vous débrouiller et tout le monde se disperse. Ce qui s'est passé pendant ces huit jours ne regarde que vous et la mer. Toi, Apéraw, tu es arrivé en 1969. Libre à toi de raconter ce que tu as vu dans l'eau.

Tu ne sais pas comment tu as fait pour supporter cela. Au départ du bateau, au port de Dakar, des hommes ont voulu faire demi-tour quand ils ont vu la gueule de l'océan s'entrouvrir. Beaucoup ont prié fort quand l'eau était agitée. De cela tu ne dis rien, il faut laisser le malheur où il est.

C'est pas grave, c'est bon, c'est normal. C'est la vie.

Dimanche

Apéraw quitte le foyer de Charonne à Paris et s'installe rue Henri-Monnier, entre Pigalle et le quartier Saint-Georges, dans une petite chambre de bonne au sixième étage. Le foyer c'est pour un temps, pour dépanner, c'est une solution de courte durée. Sambou, qu'il a rencontré sur le bateau, l'a aidé dans ses recherches. Ancien professeur à Dakar, Sambou est là pour tout, pour le travail, la paperasse, les logements, il gère de A à Z. On est en 1970. De Gaulle vient de mourir. En semaine, Apéraw prend le métro pour aller bosser à l'usine Bliss de Saint-Ouen. En qualité de manœuvre. Arrêt Les Bateliers. Jusqu'en 1977, date à laquelle l'entreprise de fabrication de presses est rachetée par un groupe américain qui décide de fermer le site. Mais il n'y a aucune inquiétude à avoir sur l'avenir. On perd son travail lundi, on en retrouve mardi.

Il se fond dans la masse comme s'il en avait toujours fait partie, mais il aimerait aussi qu'on le remarque et lui souhaite la bienvenue. Le soir, Apéraw prend le temps d'observer la vie parisienne. Des touristes photographient l'entrée de la station de métro. Ils monteront ensuite vers le Sacré-Cœur ou le Moulin Rouge. Des femmes vêtues de cuir et le dos nu l'aguichent devant les cabarets. Il a du charme, c'est vrai. Apéraw se retourne plusieurs fois. Elles ne le lâchent pas des yeux. Pas très compliqué d'attirer un ouvrier de ce genre, surtout quand il est seul, loin de son pays, loin des siens. Avec des journées chargées qui laissent peu de temps aux amusements divers.

Le dimanche c'est jour de repos. Il déambule dans les rues de Pigalle avec un ami. Chemise marron ou col roulé par-dessus ses muscles. Les cheveux bien peignés, carrés, propres. Il guette les belles femmes et interpelle son pote, *Tu as vu ce que j'ai vu ?* Bien sûr qu'il a vu, il est pas aveugle. Kalilou porte une redingote impeccable, un nœud papillon, des chaussures plus-cirées-tu-meurs. Il se balade avec une mallette à moitié vide et de grosses lunettes. On s'en fout, c'est pour le style seulement. Les deux copains ne sont pas là pour blaguer. Ils se pavanent avec la prestance du kumpo. Ils n'ont pas le temps. Apéraw et Kalilou se sont rencontrés autour d'une table dans un maquis à Abidjan. Apéraw lui a demandé : *C'est quoi ton nom ?* L'autre a répondu : « Diémé. » *Yo Diémé, atyome, donc tu es mon frère.* Les années sont passées, ils se sont perdus de vue mais leurs chemins se sont de nouveau croisés dans l'ambiance parisienne. Kalilou loue une chambre rue de Maubeuge, à dix minutes à pied de celle d'Apéraw. Ils draguent des touristes et boivent du Viandox pour supporter les premiers hivers. Ils sont fiancés au bled mais regarder d'autres femmes n'a jamais tué personne. Apéraw tente d'embrayer en anglais mais il renonce par manque de vocabulaire. Si son frère Yancouba était là, les choses seraient sans doute plus simples. Il servirait d'interprète. Apéraw pourrait profiter de son statut de prestige pour se donner de l'allure. Avec son anglais et ses lunettes, on les prendrait au sérieux. Mais Yancouba est en Allemagne, il donne des consultations dans une clinique, les patients l'apprécient. Dans sa dernière lettre, il lui a annoncé la naissance de son fils. Il l'a appelé Moustapha, comme son frère.

Ils remontent vers le Sacré-Cœur. De là-haut, ils ont une vue sur tout Paris et les gens autour d'eux parlent des langues bizarres. Apéraw en profite pour griller une Gauloise et contempler le ciel et les monuments. Il repense aux mots de son père. Abidjé l'avait prévenu : « Un jour tu vas aller loin même nous on sait pas où c'est. » Comment c'est possible ? Comment il pouvait savoir que son fils serait ici aujourd'hui ? Abidjé n'avait jamais été au-delà de Bignona. Il ne comprenait même pas le wolof. Mais il savait.

Comment eux ils ont jamais quitté la forêt et ils savaient que nous on va aller loin ? Pourquoi ça hein ?

Apéraw lance un regard au portrait de son père affiché dans notre salon, juste au-dessus du fauteuil où j'ai l'habitude de m'asseoir. Sur le mur, la figure éternelle du vieux. Cette photo a quelque chose de sévère. Apéraw n'a jamais cessé de se référer à son père. Il dit *Lui*, index vers le ciel, comme en prononçant la Shahada.

Ils bifurquent vers la rive gauche. Les étudiantes de la Sorbonne reposent leur tête lourde sur l'herbe fraîche du jardin du Luxembourg. Avant d'y entrer, Apéraw et Kalilou se posent dans les cafés. Coca frais sur les tables, en face des beaux appartements avec les grandes fenêtres. Les rares étudiants noirs qu'ils croisent les accostent et engagent la conversation. « De quel pays venez-vous ? Quelle usine vous embauche ? Si vous rencontrez la moindre difficulté vous pouvez compter sur nous pour vous aider. On est des frères. » Pour le moment, Apéraw et son copain préfèrent rester en dehors de la politique, d'ailleurs ils le resteront toute leur vie.

Il arrive parfois que certains de ces étudiants frappent aux portes des nouveaux arrivants pour proposer des cours de français gratuits. Avec assiduité, Apéraw prend des notes dans son cahier rose Le Gaulois. Petit à petit, il est en mesure de raconter son week-end. *Je regarde la télévision, la visite du roi du Maroc après je dors.*

Avec les étudiantes, ils se contentent de rire. Ils froncent les sourcils devant les lignes tracées sur les cahiers de médecine et de géométrie. Ce n'est jamais facile de faire durer la conversation. Sauf en s'inventant une vie belle et opulente là-bas au pays, riche et sans problème à Paris. Et pourquoi pas ? L'Afrique c'est loin. Personne n'ira vérifier s'ils sont des rois ou des agriculteurs, des exploiteurs ou des exploités.

Les étudiantes sont enchantées de rencontrer des vrais Africains d'Afrique. Ça leur fait tout drôle. Demain sur les bancs, elles auront des choses à raconter. Apéraw et Kalilou les accompagnent jusqu'aux portes de la faculté. Une Italienne et une Chinoise.

La belle vie.

En août 1974, Apéraw reçoit une lettre du directeur général de l'Action sanitaire et sociale. Il l'a fait lire à Sambou. Une très bonne nouvelle. Iña, avec qui il s'est marié deux ans plus tôt, est autorisée à le rejoindre à Paris. Apéraw explique à l'Italienne, ils doivent en rester là.

L'art de converser en décortiquant l'arachide

Il enfile sa chemise et sa cravate, il s'installe dans son fauteuil, pose un bol en céramique sur la table basse. Les documentaires animaliers sur France 5 vont commencer dans quelques heures. Pour le moment, il décortique des arachides devant sa radio. 107.5, fréquence éternelle. Africa numéro 1 et les chroniques matinales. Apéraw croque les arachides, sans même regarder il sait l'endroit exact où il faut exercer une pression afin d'ouvrir le tégument sans l'abîmer. On ne casse pas une arachide, on l'ouvre pour y découvrir les deux petites perles soigneusement enfouies dans les deux hémisphères. Gâcher la forme extérieure c'est en gâcher le contenu et la saveur. Se débattre pour l'ouvrir, c'est avoir l'assurance de mal débuter sa journée. Dans les réunions de famille, on sait distinguer, par le son produit, les vrais mangeurs des mangeurs du dimanche. Ces derniers sont semblables au musicien qui joue une fausse

161

note au milieu d'un concert. Sur ce terrain-là, je suis bien le fils de mon père.

Les arachides sont là, tu attends quoi ? Faut manger ! Atcha Bismillah.

J'apprends à ne rien gâcher, à manger correctement. Toujours m'essuyer les mains sur mon pantalon ou en les frottant l'une contre l'autre, plus pour témoigner ma satisfaction que pour des raisons d'hygiène.

Il est onze heures. Les coques sont entassées les unes sur les autres. Apéraw continue le décorticage avec l'index et le pouce, sans baisser les yeux qu'il garde rivés à l'écran. Une lionne a jeté son dévolu sur un jeune impala trop occupé à brouter l'herbe. Elle bondit à la poursuite de la bête tel un coup de fusil. Apéraw savoure ses arachides. L'une après l'autre, de plus en plus vite à mesure que la lionne s'approche de sa proie. Bientôt il ne pourra plus en manger car il lui manque des dents. Du temps de avant-avant, les kounifaanaw conseillaient les jeunes en décortiquant des arachides. Ils parlaient la bouche pleine. Et ils sont morts avec toutes leurs dents, eux. Apéraw n'a pas de molaires mais il croque. J'ai l'impression de l'entendre mâcher jusqu'au sang. Il se frotte les mains pour se débarrasser de la poussière. Des carcasses pâteuses sont logées entre ses dents. La lionne saisit le cou de sa victime. Paf. Voilà elle l'a attrapé. C'est son cinéma à lui. Apéraw mâche en fermant légèrement les yeux. Il n'est plus ici.

Dans les moments de silence je laisse glisser mes mains dans le bol. Je passe mes doigts entre les gousses. J'aime sentir la terre et la forme arrondie. Puis je les relâche, une par une. Elles viennent cogner le fond de la céramique. Apéraw m'observe tout ce temps. Ce n'est pas un jeu. Un seul regard suffit à me le faire comprendre. Il se met à mimer la culture de l'arachide. Il procède aux semailles puis les recouvre de terre avec son talon. Il détaille chaque étape jusqu'à la récolte. Ensuite il mime le tressage des sacs. Il traverse le pont avec son père pour rejoindre Sindian. Une arachide tombe du sac, il se baisse, la ramasse et la mange, il n'en laisse aucune derrière. Moi je les sélectionne dans le bol. Je les trie selon leur forme et leur couleur. D'après Koto, on peut trouver des vers à l'intérieur comme dans les dattes. Les larves se fraient un chemin dans la chair du fruit. Depuis ce temps, je me sens obligé d'ouvrir le fruit avant de le consommer. C'est psychologique ; quand je ne le fais pas, j'ai un goût amer dans la bouche. Le ver n'a même pas le temps de se débattre sur mes dents. Je le sectionne en mille morceaux. Apéraw ne vérifie jamais et je me demande combien il en a ingurgité sans le savoir depuis ses premières dents.

La fin des haricots

Mon père s'est contenté de nettoyer des avions à l'aéroport de Roissy jusqu'à la retraite. Il a vécu sur le fil, au gré des missions notifiées à l'avance par téléphone. Des missions de nuit, de jour, ça changeait d'une semaine à l'autre. Il a enchaîné le plus d'heures possible, repoussé toujours plus loin les limites de son corps, remercié Emitey pour les jours de travail.

Au bout de cinq ans, les appels cessent. Personne n'a dit qu'il avait pris sa retraite. Il tente de les rappeler, ils lui doivent des explications. Il est loyal et disponible, jamais il n'a manqué une journée, toujours le premier arrivé au boulot.

Dès l'aube, il hume par la fenêtre le premier parfum du jour. *Les vieux chez nous, ils disent c'est le matin de bonne heure qu'on trouve le bonheur.* Il guette le téléphone et attend le coup de fil.

Aux aguets, furtif.

Il passe des heures à la fenêtre. Il observe les pigeons, le ciel de la cité, les immeubles longilignes et le RER de l'autre côté. Les jours de grève ne sont pas des jours heureux et les syndicalistes sont des syndicalistes. Au début du printemps, les employés de la mairie tondent la pelouse sous notre fenêtre. À quelques mètres, les pensionnaires de la maison de retraite sont invisibles. Les rideaux des chambres sont constamment tirés. Le dimanche, on les croise brièvement avec leurs enfants et petits-enfants bras dessus bras dessous. Une promenade et puis s'en vont. Des ambulances du SAMU viennent de temps à autre éveiller la curiosité des voisins. Elles arrivent sans grand fracas et repartent de la même manière avec un brancard gonflé d'une housse blanche. La maison de retraite est coincée entre des immeubles HLM et un jardin d'enfants. De l'autre côté des barrières vertes, un vieil homme de petite taille s'active sur le parking. Je n'ai jamais entendu le son de sa voix mais sa vivacité m'a toujours étonné. Très speed. Il soulève des colis, clope au bec, sort les poubelles d'un local à la toiture parsemée de rouille, balaye la cour, seul. Il porte un pantalon en velours et des chaussures de sécurité. Il a à peu près l'âge d'Apéraw.

Les employés de la voirie, les jardiniers, les agents d'entretien de casernement s'activent sous notre fenêtre. Apéraw aimerait être là-bas avec eux, il serait prêt à accepter n'importe quelle offre. Il regarde les avions passer dans le ciel.

Boeing 747, c'est les plus gros. Nous on a lavé les avions du monde entier. Les avions Norvège, Inde,

Arabie saoudite, Amérique. Quand on travaille on rigole pas, on est pas fainéants nous.

Regarde ! Y a des avions partout, après ils disent y en a pas de travail !

Il décroche le téléphone et compose le numéro de la maison d'intérim.

Bonjour ! C'est monsieur Diémé ! Vous allez bien !?

« Oui, bonjour monsieur. »

Alors y a pas de travail pour moi ?

Son visage se décompose, déçu d'entendre la formule déjà toute faite : « On vous rappelle si jamais on a quelque chose pour vous. »

Le personnel de l'agence a changé. Ce ne sont plus les mêmes jeunes femmes sympathiques qui avaient pris Apéraw en affection. Les nouvelles ne le connaissent pas. Téléphoner tous les jours pour demander du travail relève du harcèlement et comme elles ne peuvent pas le vexer et lui dire : « Vous êtes trop vieux maintenant », elles lui promettent de le rappeler. Et lui, il prend son mal en patience. Il attend la sonnerie du téléphone et il se rue pour répondre le premier. Mais l'intérim ne compte plus sur lui.

Il est prêt à écumer les annonces, à accepter n'importe quel poste. Moussa Diouf ne donne plus de nouvelles. Le foyer des 3000 a disparu sous la dynamite et les gravats. Apéraw le cherche encore parmi la foule pendant la prière du Joumou'a à la grande mosquée.

La femme de ménage pourrait au moins le recommander auprès de la gardienne de la résidence. Ils s'entendent bien, ils discutent sur le palier et sur le chemin de la boulangerie.

Un dimanche, Kalilou se présente chez nous. Ils s'entretiennent pendant plus de deux heures. Quand ils se serrent la main, Apéraw a le sourire.

Il a dit il connaît quelqu'un qui travaille dans un zoo. Il va peut-être me faire rentrer pour faire le ménage là-bas. Y a du travail partout, eux ils me blaguent seulement.

Je n'avais jamais entendu parler de ce genre de piston. Ça m'inquiète. Mon père au service des animaux ? Comme s'ils ne pouvaient pas se débrouiller tout seuls dans la brousse ! Non, vraiment, je serais prêt à travailler deux fois plus si ça pouvait lui éviter cette peine. Dans la cuisine je discute avec Koto de l'engouement d'Apéraw.

« Le daron il est sérieux là avec son truc de zoo ? »

Koto refuse de se liguer, il ne veut pas m'aider à l'en dissuader.

Il dit : « Le daron c'est un bosseur. »

Ça le prend comme ça. Il se lève brusquement et fait des pompes. La fougue de la jeunesse coule dans ses veines, pas de doute.

Il faut faire de l'exercice sinon le corps ça fait mal.

Au bout de la quatrième, on entend tous les os de son corps craquer, à force ses os vont tomber, se dévisser ou se casser comme des boulons rouillés. En tout il en fait une demi-douzaine. Après quoi il pose les mains sur ses hanches et sourit.

Ça ne va pas tenir, ça va tomber par terre.

Quand on travaille le corps ça fait mal, quand on travaille pas le corps ça fait mal aussi, je comprends pas pourquoi.

Apéraw aime beaucoup notre voisin de palier. À notre emménagement, il a frappé à sa porte et lui a demandé de lui montrer le chemin de la mairie et la caisse d'allocations familiales. Ils ont marché ensemble. Comme la vie ne pardonne pas, le vieux a eu un accident du cœur. Apéraw lui a proposé à plusieurs reprises de le rejoindre au soleil en Afrique pour une retraite plus paisible. Il l'appelle *le vieux*, ils ont le même âge. Apéraw lui ne veut pas vieillir. Qu'il vente ou qu'il fasse gros soleil, il dissimule ses cheveux blancs sous un bonnet en laine. Il demande à ma sœur de les lui teindre en noir. Elle lui masse la tête, elle lui explique en même temps : « Papa ça sert à rien. Les cheveux blancs c'est normal à ton âge. »

Qu'est-ce que les gens ils vont dire sur moi s'ils me voient comme ça, hein ? Tu crois que les gens ils voient pas mes cheveux blancs !? Même les hommes politiques à la télévision ils font des teintures. Tu sais pas ça ?

Le réseau de transport francilien n'a plus de secrets pour Apéraw, il connaît toutes les correspondances possibles. Il marche vite pour quelqu'un de son âge. J'ai un peu de mal à le suivre. Dans le train, il siffle, il discute avec les passagers.

Madame ça va ? Comment allez-vous ?

À gare du Nord, on se sépare. Je rejoins des copains vers la station Jaurès, lui rejoint les siens dans le XVIIIe les mains dans les poches. Coincés dans le cercle pervers du jeu, ils misent leur salaire ou leur pension de retraite sur des courses de chevaux, jouent, dépensent ce qu'ils ne gagneront jamais. Ils finissent tranquillement leur café, ils fument.

Le patron il leur dit il faut consommer, sinon il va les foutre à la porte. C'est normal.

Ils parlent politique, Apéraw se tait, il allume sa pipe. Plus le temps pour ces conneries. Les copains se disputent pour des histoires de chevaux, le gérant perd ses nerfs. Des grands gaillards comme ça, à leur âge. Nooon. Par peur d'être influencé, Apéraw ne s'attarde pas. Quand il travaillait chez Citroën, il s'était mis à traîner dans les bars PMU. Un collègue s'y était opposé. Pour ne pas éveiller ses soupçons, Apéraw cachait son ticket dans la poche de son blouson au vestiaire. Le collègue fouillait ses affaires et tombait sur le ticket perdant. « C'est pas bien de jouer à ça, je te l'ai dit plusieurs fois. C'est des conneries, tu vas perdre ton argent bêtement. »

Ce gars-là il était très bien. Est-ce que tu peux le chercher dans l'Internet ?

Patrice avait rejoint les rangs de Citroën deux ans après Apéraw. Le jour de son arrivée, il a serré la main de tout le monde. Et il a dit : « Celui-là c'est un Toucouleur, celui-là c'est un Sarakholé, celui-là c'est un Peul, lui c'est un Diola. J'ai raison ou pas ? » Les gens l'ont pris pour un fou ! Il avait tout bon. *Les Blancs faut pas les prendre pour des cons hein. Eux ils ont duré en Afrique, y en a ils comprennent notre langue. C'est pour ça on fait attention quand on parle.* Patrice aimait écouter Apéraw, il aimait quand il lui racontait Kagnarou, la chasse, les choses qu'il faisait quand il était petit. Quand Apéraw a envisagé de passer son permis de conduire, Patrice a dit : « Moustapha, il y a des métros, des trains, des bus, tu n'as pas une meilleure idée ? » Il prenait de son temps pour Apéraw, il l'invitait chez lui et ils discutaient. Ensuite les déménagements successifs les ont éloignés.

De mon côté, je suis avec des amis dans un bar pas loin de l'avenue Jean-Jaurès, entre le restaurant La Rotonde et le quai de la Loire. Sur la terrasse remplie de monde et baignée de soleil, des jeunes prennent des positions désinvoltes. En fin de service et le week-end, le lieu se transforme en piste de salsa. Des cendriers traînent sur les tables, près des pintes de bière que les clients avalent avec des cacahuètes salées. Un Noir travaille dans cet espace aménagé pour l'été. Les clients ne le regardent pas. Je remplace son visage par celui de mon père. Même âge, même expression, même regard jaune, même bonnet façon Amilcar Cabral. Tout de suite, je ressens une gêne. Je n'aurais pas aimé voir Apéraw nettoyer les tables de la terrasse couvertes de bière et de cacahuètes qu'il préfère nature.

Moi mon États-Unis c'est l'Afrique

Deux jours à Dakar, pas plus, le temps d'une visite à la famille d'Iña. Apéraw prend ensuite la route du luxe, du calme. Il fume seul sur la terrasse de sa maison à Bignona, le torse criblé de boutons noirs causés par les brûlures de la soudure. Le tabac est de bonne qualité, il l'achète au kilo chez les commerçants mauritaniens. La première taffe qu'il avait prise, il y a plus de cinquante ans dans le dos de son père, l'avait surpris. Il n'avait même pas eu le temps de tousser, il était tombé tout droit, Abidjé avait rigolé.

De là-haut il domine. Les manguiers s'étendent à perte de vue. Pendant sa sieste après le repas du midi, les enfants du quartier en profitent pour se hisser en cachette sur la terrasse. La vue est incomparable mais les petits s'amusent dangereusement. En bas, leurs parents, assis sur des chaises en plastique, enchaînent les parties de belote. Un jeune les interrompt entre deux querelles pour leur présenter un verre d'ataya mousseux. À la saison des pluies, l'eau creuse le sable, se fraie un chemin jusqu'en bas de la ville et emporte tout sur son passage. Des pneus et des sacs de riz remplis de terre sont disposés afin de piéger les déchets abandonnés malencontreusement. Des éboueurs dans des charrettes tirées par des ânes progressent difficilement dans la boue. Moyennant 1 000 francs CFA par mois, ils vont verser les déchets sur la route de Kagnarou. Après l'orage, on perçoit les traces délicates et fragiles de l'eau sur le sable chaud. Fouler ce sol pieds nus est une sensation agréable. Du temps de avant-avant, Bouregh étanchait sa soif dans les flaques de pluie. C'est pour ça qu'il a toujours été en bonne santé. Moi je n'ai pas le droit de l'imiter, je suis né du temps d'aujourd'hui, mon corps ne s'est pas forgé dans la brousse.

Apéraw, mes oncles et les pères de mes amis rentrent tous lassés par les années dans les usines françaises. Ils ont épuisé leur jeunesse dans l'exécution d'opérations mécaniques et répétitives. Quand on s'est levé aux aurores pendant plus de quarante ans pour effectuer les mêmes tâches avec assiduité, le corps s'imprègne d'un rythme et s'arrêter net l'affole, le précipite dans un grand chaos.
C'est douloureux.
Le corps gâté par le fer.
Le métal.
La tôle.

Le zinc.

La soudure.

Leur corps a besoin de repos. Au Sénégal, au Mali, en Mauritanie, les plus chanceux ont fait construire des maisons. Elles représentent une fierté et une revanche sur les décennies vécues dans les cités et foyers de France. Mais le temps passe, ils ne sont plus tout à fait chez eux. Les voisins les regardent de travers, leur trouvent une certaine arrogance. Alors ils restent à l'écart, deviennent deux fois plus méfiants. Ils refusent poliment quand on les invite à manger, regardent au fond des verres si on leur offre à boire. On ne les voit au village qu'aux enterrements. *Tout le monde est mort ici.* Comment rentrer définitivement quand on est resté si longtemps éloigné des terres ? Rentrer pour cacher sa honte, rentrer pour mourir ?

Pendant la saison sèche, Apéraw passe ses nuits sur la terrasse. La chaleur et les moustiques y sont plus cléments. La rosée du matin et le soleil ne permettent pas les grasses matinées. Il commence par une série de pompes. Il se débarbouille, laisse infuser quelques feuilles de kinkeliba et recharge sa pipe. Sur le goudron, des motos Jakarta défilent à vive allure.

Je monte jamais sur les motos là, ces gens ils savent même pas conduire, c'est trop dangereux. Souvent les jeunes ils me disent « Apéraw viens je te dépose » moi je dis non, je préfère marcher avec mes pieds c'est plus sûr.

Apéraw ne veut pas entendre parler d'un pèlerinage à La Mecque, des plages et du soleil de Miami. *Moi mon États-Unis c'est l'Afrique.* Il a d'autres priorités dans la tête, acheter des parcelles, construire des maisons. C'est tout. Il a une grande maison à Bignona mais pas grand monde avec qui la partager. Il se promène dans le quartier, discute avec le boutiquier peul, accepte le thé des maçons, plaisante avec les femmes au marché. Ses petites sœurs l'aident à chasser le souvenir des vieux démons. Elles font le chemin depuis Kagnarou et à leur départ les murs sonnent creux. Je leur en suis reconnaissant de veiller sur lui. Par leur douceur et leur beauté, Maï et Mabinta me rappellent Iña.

Généralement, nos conversations téléphoniques ne durent pas plus de cinq minutes. Il demande si tout va bien, me pose des questions sur ma santé, sur mes frères et leurs enfants. Ils sont tous là. Tout le monde va bien. Apéraw revient nous voir tous les deux ans.

Je regarde les livres que tu m'as achetés tous les jours. J'ai perdu du temps. Maintenant je connais lire. Si je savais j'aurais commencé plus tôt. Je lis un livre, y a tout dedans. Ça parle de la neige, des poupées... Ça parle de la couleur rouge, des reines, de tout. Y a tout dedans.

Les cinq minutes sont passées, je me promets de rappeler plus souvent. Je repense à la manie d'Apéraw d'utiliser le vouvoiement le temps des salutations. À l'école, aux rencontres parents-professeurs de fin de trimestre, il vouvoyait les enseignants. *Comment ça va ? Vous allez bien ?*

Et pendant l'entretien, il les tutoyait.

Avant de raccrocher :

Si vous voulez que je rentre vous me dites.

« Tu fais comme tu veux, t'es bien là-bas. C'est toi qui vois. »

Je ne dis pas toujours la vérité.

Quand tu vieillis
Ce que tu manges c'est pour toi
Le reste c'est pour tes enfants

Super Mario Balotelli

J'ai acheté une nouvelle télé pour regarder les matchs du championnat d'Europe de football avec Apéraw. L'ancienne nous a lâchés dès le match d'ouverture. Elle a fait des caprices et c'est par intermittence qu'on a pu suivre la première rencontre. J'ai filé au supermarché Auchan de Villetaneuse. Je bouscule les gens et j'attends non sans impatience l'arrivée du vendeur. Il me parle pixels, luminosité et je ne sais quoi d'autre. Ça ne m'intéresse pas, ce soir y a match. « Mon frère, on va pas faire de chichis, une télé c'est une télé. » J'arrive à la maison en sueur. Apéraw ouvre grand les yeux en voyant la taille du colis. Un grand écran plasma Samsung. Payé cash. Il siffle et il me demande, confus, *Tout ça !?*

Je n'ai pas le temps de me poser, le barigot est vide, Apéraw m'envoie acheter du riz chez le Chinois. En matière de riz, mon père est très exigeant. Par exemple, je dois éviter le riz thaïlandais, il cuit pas assez vite. Pour le même prix, je peux avoir du riz cambodgien, il a meilleur goût et il colle moins dans la casserole. Quant à l'Uncle Ben's, c'est même pas la peine d'en parler. C'est celui qu'on servait à la cantine de Citroën. Ce riz long grain, sans personnalité, servi avec les lentilles dégoûtait Apéraw.

Bientôt j'irai vivre seul. J'ai été sélectionné pour étudier un an dans une université anglaise. Apéraw tient à me transmettre l'art de la cuisson du riz.

Tu vas apprendre, faut pas gaspiller ton argent dans les restaurants. Faut manger à la maison c'est mieux.

Financièrement je peux compter sur lui, surtout pour les études, mais par principe je ne demanderai rien, la bourse me suffira.

Je verse un peu d'eau dans une grande casserole et je la referme. Pendant ce temps, Apéraw m'aide à trier le riz. J'ai souvent vu Iña le faire quand j'étais petit. Il faut secouer le bol afin de faire apparaître les mauvais grains, souvent remarquables par leur couleur foncée, il faut le laver ensuite plusieurs fois. Le mauvais riz remonte à la surface, le bon reste au fond du bol. On recommence, on verse l'eau, on en rajoute. On trouve de vraies saletés parfois. Cette étape permet de révéler les supercheries. En Casamance, les négociants blancs travaillaient comme des cochons. Ils ignoraient les différentes variétés des riz diolas et les mélangeaient sans distinction.

L'eau arrive à ébullition. Je verse le contenu du bol, je remue, ça permet au riz d'être au même niveau. Normalement, si j'ai bien suivi les conseils d'Apéraw, je dois avoir deux centimètres d'eau au-dessus du niveau du riz. Là, je me concentre, la prochaine étape est la plus importante. L'eau se remet à bouillir, je laisse cuire quelques secondes.

Faut pas laisser trop longtemps, sinon ça fait pot-potaye.

OK, pas trop longtemps, sinon ça fait de la bouillie. Et c'est pas ce qu'on cherche, on n'a pas demandé un riz au lait. Et le riz trop cuit en plus, il pourrit vite. J'éteins le gaz. Apéraw saisit fermement la casserole chaude avec deux torchons et s'en va vider l'eau dans l'évier. Il en garde deux verres. On trinque, c'est le verre de la santé, *ça donne la force.* Il vide l'eau restante jusqu'à la dernière goutte. Il faut maintenir le couvercle fermé, un petit espace est prévu pour l'évacuation de l'eau.

À présent, il n'y a plus d'eau dans la casserole. J'ajoute une noisette de beurre, je pose la casserole sur le gaz à feu doux. Je veille au grain, je remue de temps en temps pour éviter que ça crame au fond. Mais pas trop quand même, je dois laisser la vapeur faire son travail, pas de vapeur pas de bon riz. Apéraw goûte.

Voilà c'est bon maintenant toi tu connais faire le riz. Personne nous a appris à faire le riz nous. Notre maman elle est partie on était encore petits petits. Tonton il avait même pas encore laissé la tétée. C'est comme toi et ta maman mais c'est pas grave. Nous on s'est fait grandir tout seuls.

Apéraw suit tous les matchs de foot. On aime le vrai football et quand on voit de jolis buts on hurle dans le salon. Le 28 juin 2012, c'est la demi-finale de l'Euro à Varsovie. À Rome les *piazze* sont pleines, les drapeaux flottent sur les façades des maisons. L'Italie se prépare à la fête ou au pire. La Squadra affronte la Nationalmannschaft que tous les parieurs sérieux annoncent déjà gagnante. Mais Rome attend son nouvel empereur. Dès les premières secondes, l'équipe allemande fait main basse sur le match. Ce soir le sort du peuple italien est entre les mains du jeune Mario Balotelli, vingt et un ans. Dans les stades de série A, les supporteurs jaloux poussent des cris de singe et lui lancent des bananes à la gueule. Mais l'avant-centre a du talent. Ce soir, c'est lui qui va porter la Squadra. Ses parents adoptifs ont fait le déplacement pour le soutenir. Sur son maillot, c'est leur nom qu'il porte. Ils sont fiers. La caméra passe devant lui au moment de l'hymne. Il chante avec ferveur. Il est italien, il se sent italien, il a toujours voulu jouer dans l'équipe nationale.

En une mi-temps, il envoie son pays en finale de la compétition grâce à un doublé historique. À la 19e minute, Mario ouvre le score de la tête. À la 36e, il enfonce le clou, avec la manière. Bien servi par Montolivo, Balotelli met Philippe Lahm dans le vent, il se présente seul face à la cage allemande puis fusille Emmanuel Neuer d'une lourde frappe sous la barre. Le but est à la hauteur de la rage du *ragazzo*. Il retire son maillot, le jette sur la pelouse et exhibe ses muscles contractés. Le but fait le tour du monde, se décline dans toutes les langues. Gooooal ! Goooooal ! Goooooal ! Allah ! Allah ! Gollazzo ! Les *piazze* explosent. Le nom du héros est scandé dans toute l'Italie. L'enfant terrible vient de propulser son équipe en finale. Il est hissé au rang de héros national.

Balotelli se tient droit comme une statue antique, il ne sourit pas. Aucune expression sur son visage, rien ne passe, tout est en pierre. Là, il est beau, Mario. Ça y est, c'est lui l'empereur de toute l'Italie, on l'acclame à Rome, il a libéré tout un peuple. À la 70e minute, il est remplacé pour que les cinquante mille supporters puissent lui faire une ovation. Les Polonais présents dans le stade le remercient d'avoir tourmenté l'ennemi juré. On chante, on scande son nom, on l'encense de Milan à Palerme.

C'est l'enfant du pays. Il pose, éternel dans la roche, du haut de ses vingt et un ans tel un César.

Tutto va bene. Votre roi est noir, qu'à cela ne tienne.

Mon père découvre le véritable Mario Balotelli. Le ralenti du but passe en boucle, la célébration aussi. On ne peut pas les dissocier. On ne sait plus si c'est le but ou la célébration qui fait le plus vibrer. Apéraw siffle, la frappe est brutale, limpide, ce putain de boulet de canon, au moins à 100 kilomètres-heure. Le visage du gardien qui ne peut rien faire. Balotelli ne lui a laissé aucune chance. Apéraw est pris d'un fou rire. TF1 repasse la célébration en boucle. Apéraw rit encore plus, il ne s'arrête pas.

Table

Cet ouvrage a été mis en pages par

\<pixellence\>

CET OUVRAGE
A ÉTÉ ACHEVÉ D'IMPRIMER
SUR ROTO-PAGE
PAR L'IMPRIMERIE FLOCH
À MAYENNE EN AOÛT 2019

N° d'édition : L.01ELJN000854.A002. N° d'impression : 94755
Dépôt légal : août 2019
Imprimé en France

SMART MONEY HABITS FOR TEENS AND YOUNG ADULTS

HOW TO SURVIVE RECESSION AND ACHIEVE
FINANCIAL INDEPENDENCE WITH SMART
BUDGETING, DEBT MANAGEMENT, AND INVESTING

WARD NASH

CONTENTS

INTRODUCTION

Throughout life, you will be dealing with different money-related matters and decisions. No matter what your age may be at this point in time, much of your day-to-day choices will require some level of financial literacy. This applies whether you are a teenager working your very first job out of high school, a college student balancing your studies with a part-time job, or a young professional establishing yourself in the workforce and figuring out how to achieve financial freedom.

The great thing is that more and more educational institutions and education boards worldwide are now including financial literacy subjects in secondary and tertiary education levels. In the United States, for instance, at least 23 states now require students to complete a personal finance course, and 25 states require the completion of an economics course before graduating high school (Smith, 2022). Strides have been made, but for the majority of younger adults, knowledge gaps still exist.

This makes financial literacy and management pretty much a trial-and-error venture for teenagers and young adults. I know this because I was also in the exact same boat, and if you are in this predicament, you should know that you are definitely not alone.

When I was younger, I made my fair share of money mistakes, particularly with regard to student loans and credit card debt. When I started making money, I was very excited and felt like I owned the world! That excitement, coupled with a lack of crucial financial management skills, led to many wrong decisions that took me a while to correct.

I was not prepared nor sure what to prioritize once I started earning my own money. This was quite strange because I have always been good with numbers and math, but I realized that this did not mean I would naturally be great at budgeting and money management as well.

Financial literacy was something I needed to learn and really put effort into. Fortunately, I was able to turn things around over time and learn from the mistakes I made when I was a younger adult. But looking back, I wish I could go back and undo many of those poor decisions.

These days, there are plenty of valuable resources and information one can easily access on the internet regarding all sorts of smart money habits. What I have seen in over fifteen years of working in the financial field, however, is that even colleagues who are knowledgeable in complex matters like corporate accounting and finance lack the organizational and management skills to maintain their personal finance matters.

Many of the young adults I assist are also ill-equipped, even with the many sources of knowledge now available online, and this fired me with enthusiasm to write this book.

They say that experience is the best teacher, and the experiences I went through during my teenage years and young adulthood left their imprint in my mind, thus motivating me to share these same learnings in my work in the financial industry. These lessons and crucial advice form the backbone of this book that you are about to read.

My passion and enthusiasm for the importance of starting financial literacy at a young age have pushed me to research as much as I can about the many aspects related to this all-important subject. And I hope that at the end of reading this book, you will take away valuable suggestions and strategies that you can develop into smart money habits in your own life.

Always remember that the earlier in life you start managing your money wisely, the better your chances of financial independence and success later on in life. A key component of this, of course, is basic financial literacy, or the understanding of various financial skills like budgeting, investing, borrowing, taxation, and management.

If a person has not learned or developed these skills, they may be termed as financially illiterate. Sadly, data from the Financial Industry Regulatory Authority (FINRA) reveals that about 66% of Americans may be considered financially illiterate (Corporate Finance Institute, 2022).

That number is staggering, indeed, especially if you realize that this means that more than 6 in 10 Americans have little to no proper knowledge regarding credit cards, student loans, mortgages, investments, insurance products, budgeting, saving, and more. This also explains why so many individuals are unprepared for sudden financial roadblocks or upheavals.

Financial illiteracy dramatically increases one's chances of experiencing personal economic distress in case significant changes or events occur.

On the other hand, if you are financially literate, you exponentially improve your chances of raising your standard of living, especially because you know how to make better financial decisions. You can effectively create a structured budget that will allow you to better manage your income and expenses and have a better chance of reaching your financial goals.

Financial literacy also teaches you how to effectively manage both money and debt, reduce your expenses with enhanced regulation, and lower your risk of going through financial-related stress and anxiety.

The burden of stress and anxiety brought about by concerns regarding money and financial security is crucially important in today's society. As the world is still recovering from the effects of the pandemic and its impact on the global economy, the memories of the financial uncertainties and struggles of those years are still fresh in the minds of many young adults, especially those who experienced their first real financial crisis.

Industries and sectors considered relatively stable and lucrative before the pandemic were hit particularly hard by the pandemic, such as airlines, hotels, travel, and retail. With layoffs and closures happening left and right, many individuals were forced to look at their financial preparedness in a whole different light, faced with the reality that there is no such thing as job security in today's environment.

Even as the pandemic has seemingly been kept under control and industries have started to reopen, the harsh realities of rising fuel prices and inflation brought about by other crises have continued to add to the worries of everyday people.

Prices of essential commodities and services have continued to climb in many places around the world, forcing everyone to become resourceful and use as much of their creativity as possible to make every dollar count, stretching their income to make ends meet and provide for their daily sustenance. Younger generations who got used to the relative boom after the recession of the late 2000s found themselves in an entirely new situation.

In a way, you can look at this "new normal" as a blessing for teenagers and young adults who have no choice now but to develop smart money habits to keep their heads above water and make it through these times. As they say, adversity builds character in a person. And the challenges of today's uncertain climate can be an opportunity for young adults to be as financially literate as possible to make sure that no matter what significant roadblocks may lie ahead, they can be secure and minimize their worries and anxieties regarding money.

After all, it is not just the present day one has to think about when learning how to properly manage financial matters, but also the future, no matter how distant it may seem. Whether you are in your teens, mid-20s, or early 30s, it is never too early or too late to start thinking about your retirement years. You should start planning for those years when you can no longer work and will have to depend on whatever savings and investments you have put in place during your working years. If you make the right decisions while you are younger, you can expect to live comfortably during your retirement years and maintain your standard of living.

But if proper financial preparations for retirement are nowhere to be seen, this can be disastrous during your golden years. Instead of enjoying your post-career life and doing those things you were unable to do while in the workforce, you will probably end up worrying about your day-to-day living, wondering where to get money or if what little you have saved will be enough.

This is a reality that many people are genuinely concerned about; a Gallup study before the pandemic revealed that almost half of Americans are not confident that they can retire comfortably. No doubt, this number has risen, especially because many people had to dip into their savings and retirement plans in the middle of the crisis.

All of these components should really convince you to start making positive changes in your life now and developing smart money habits based on financially literate decision-making and money management skills. Fully understanding each aspect of your finances bleeds into each part of your life, whether you are fully aware of this or not.

Because of this, you should put yourself in an advantageous position and be thoroughly knowledgeable of everything that is taking place in your financial world. This includes knowing all the options available to you and leveraging your position so you can attain financial success and independence.

Think about how much better life would be if you could transition from merely surviving each day to actually thriving and living abundantly! While it is true that money alone cannot buy real happiness, it indeed cannot be denied that the lack of money can certainly take its toll on your mental and emotional health.

Money-related problems will rob you of the ability to afford those experiences that can help boost your happiness and motivation in life. It is always a more advantageous position to reach a level of financial success, enabling you not only to enjoy the best that life has to offer but also to lend a helping hand to others in your sphere of influence who may need a hand.

This abundant life can be yours to enjoy if you take the simple steps needed to make yourself financially literate and develop proven smart money habits for life. You can transform your life and change the direction you are heading, regardless of your age now. But you also need to be aware of the situation's urgency and take matters into your own hands today. Putting them off until tomorrow or delaying these habits until a later time may rob you of the chance to make the most of your potential or maximize the resources you already have.

Today, there is a lot of focus on empowerment, learning, and accountability in every aspect of one's life. You have the chance to take full control of your financial journey and develop enriching and lucrative strategies to build your self-confidence and your ability to make informed money-related decisions.

Whatever your vision for a happy and successful life may be, you will be better equipped to reach those goals if you are knowledgeable when it comes to your money.

You have an advantage on your side: you're still relatively young! You have your life ahead of you, and if you instill wise financial choices early on, then you certainly have a leg up and will be primed for financial independence sooner rather than later.

Maximize this opportunity and jumpstart your pursuit of satisfaction and success with the best habits for financial management, and you will have no regrets once you start reaping the rewards.

Let's get started!

1

PURSUIT OF HAPPINESS WITH SMART MONEY HABITS

Every individual wants to achieve happiness in this life. Undoubtedly, your goals and aspirations are linked to your desire to live a happy and fulfilled life. As you strive to achieve the best life possible, you will realize that there is an intrinsic correlation between money and happiness, which is why you must develop excellent money habits to be happier and more fulfilled.

Now, this does not necessarily mean that the more money you have, the happier you will be. That is not what I am trying to convey here at all. We all know of wealthy and highly successful people who cannot seem to find real happiness, no matter how much money they have. On the other hand, many people may be limited in their financial standing but are genuinely content and satisfied.

I am not advocating materialism and an excessive focus on prosperity as a means to be happy in this chapter. In reality, many activities, experiences, and objects closely linked to the human desire for happiness and contentment do require money. Thus, there is a necessity to properly manage one's financial resources so that a more fulfilling life can be easily attained.

Past studies have attempted to determine if more money indeed brings more happiness, and the research results have been interesting to look at. For instance, a research study done back in 2010 by psychologist Daniel Kahneman and economist Angus Deaton (both Nobel prize winners in Economics) focused on two specific components of the emotional lives of people: quality of life (including the various pleasant and unpleasant emotions of daily experiences) and life evaluation (or how people think about themselves and their existence) (Ledsom, 2021).

Their research revealed that the amount of money people had indeed impacted their self-evaluation and overall emotional health. The study by Kahneman and Deaton revealed that lower income tends to result in lower emotional well-being and evaluation, while higher levels of income are more associated with satisfaction but not necessarily happiness.

Around the same time of this study being conducted in 2010, a happiness-tracking application was being developed by Matthew Killingsworth, who is now a senior fellow at the University of Pennsylvania's Wharton School. The app, called Track Your Happiness, checks the details of what makes one person's life worth living and being happy by asking the user to log their feelings during certain periods of the month. Killingsworth's happiness tracking app has also revealed that higher income levels are associated with more life satisfaction, just like the 2010 study (Ledsom, 2021).

These studies make sense if you think about what makes you happy in your own life. There may be a wide range of answers to this query, but let's delve into the simpler, more trivial sources of satisfaction. Perhaps you enjoy traveling, whether it is a road trip to your favorite beach resort or cabin in the mountains over a three-day weekend, joining a Caribbean cruise ship for two weeks, or flying off to an exotic location for an extended holiday and discovering new cultures and cuisine. These travel experiences bring you much happiness and self-satisfaction, but they cannot be done for free. You will need money to afford these pleasures, and if you have the financial means to fulfill these aspirations, then you will see why there is a link between higher income and greater levels of satisfaction.

Maybe you enjoy attending concerts, theatrical performances, sporting events, or independent film releases. Or you derive happiness from checking out the newest restaurants and culinary offerings in town. Whatever interests and pursuits bring you personal satisfaction, you will certainly need money to enjoy these things. This highlights all the more the need to maximize whatever financial resources you have to fuel your emotional well-being.

It is also important to consider that, as human beings, we are social creatures who get much of our happiness and satisfaction from the interpersonal connections and interactions we foster with those around us. According to psychology, there is a powerful and instinctive need in each individual to form and maintain strong and reliable interpersonal connections. Of course, some individuals are more social than others, but even the most introverted people also long to have friendships and connections with those whom they can share their innermost feelings and thoughts with.

If you look at the vast majority of activities and pursuits that make humans happy, they are usually shared with other individuals in collective settings. The more satisfying your relationships and social connections are, the happier and healthier you tend to be, and the other interests and pursuits are not necessarily the main focus of this pursuit of happiness. Instead, when you enjoy doing something and derive genuine happiness from it, you want to share it with the people who matter the most to you.

Take another look at the things that give you happiness. When you play sports, go on trips to nature trails or reserves, or go biking or golfing, you want to share these moments with your closest family members or friends. A study on adult development conducted by Harvard, which started in 1983, monitored the lives of 724 male participants for 25 years. It showed that the key component for long-lasting happiness is a person's interpersonal relationships (Mineo, 2017).

Dr. Robert Waldinger, a psychiatrist and the director of the Harvard Study of Adult Development, said, "The lesson that came from tens of thousands of pages of that research was that good relationships keep us happier and healthier" (Mineo, 2017).

Now, while these social connections are the top contributor to personal happiness and emotional satisfaction, the importance of financial stability and material resources cannot be ignored. To take part in these fulfilling moments with your family, peers, and colleagues, you will also need money. How can you join your closest friend group on that weeklong camping and hiking adventure if you are broke? When all of your work colleagues are attending the ballgame and getting drinks on Friday night, how can you participate if you do not have the funds available? So while happiness comes from the memories and experiences of our social circles, money is also an enormous factor in whether you can take part.

As a teenager or young adult, you should already learn to appreciate the importance of managing your money wisely. This is not only because you have to provide for your basic needs but to have enough left for the future and also have a portion left to enjoy the things that may not be essential but contribute to your emotional well-being and overall life satisfaction. These include entertainment, personal hobbies, and other interests that bring you happiness, especially when enjoyed with good company.

The perspectives and priorities of younger people are different compared to older adults, especially concerning financial matters. In a 2016 survey conducted by the Society for Personality and Social Psychology among over 4,600 participants, about half of the respondents prioritized free time over earning money and said that enjoying their free time actually brought them more happiness than earning more money. But among the younger people who took part, free time was less of a priority, and money was favored.

Of course, this is not surprising at all because while you are young, you think that you still have most of your life ahead of you, so your priority will still be in trying to amass as much wealth as possible and maximizing the opportunities presented to you. But a healthy and balanced view of money and time is imperative in your pursuit of genuine happiness. In fact, realizing that time is an even more important commodity than money can bring about a positive transformation in your perspective.

Always remember that you cannot make more time, but you can always make more money. For instance, if you are short on cash or saving up for a major expense, you may look into options for earning extra cash. Choices may include picking up extra shifts at work or working overtime, looking for side gigs or part-time work, or maybe even selling stuff you no longer need to get the funds you need. But time is finite and cannot be extended. There is no way to invest days, months, or years in some kind of time market and expect to get extended years later on. The time given to you is all the time you have.

How does this factor into your pursuit of happiness? When you are focused too much on making money and attaining your financial goals, think about the time you may not be spending with your family or friends. You can always earn money somehow and make up for any financial deficiencies, but time lost or missed out on your loved ones can never be replaced. This should help you make the right choices and find that healthy balance between financial goals and spending quality time with those who matter most.

Ashley Whillans, the lead researcher of the 2016 study and a doctoral student in social psychology at the University of British Columbia, reiterated the importance of valuing time just as much, if not more, than money in pursuing genuine happiness. "It appears that people have a stable preference for valuing their time over making more money, and prioritizing time is associated with greater happiness," she said (Science Daily, 2016).

GOOD FINANCIAL HABITS ARE NECESSARY FOR HAPPINESS

The earlier in life you can form smart money habits and make them a part of your lifestyle, the higher your chances of achieving a successful and fulfilling existence. Habits are crucial because they automate much of the decision-making process, which means when you are faced with a dilemma, you will probably gravitate toward whatever decision is already in line with your preestablished habits.

The choices you make each day, no matter how substantial or mundane they may be, ultimately affect who you turn out to be and how you live your life daily, so positive habits are a must.

With so much uncertainty regarding the overall financial situation in the world today, good financial habits are even more important for teenagers and young adults to foster. There is an undeniable connection between financial stability and one's emotional state, as evidenced by the statistics from the 8th annual Employee Financial Wellness Survey by PwC.

In the survey, 71% of millennials in the United States reported that their financial-related stress over the last 12 months increased exponentially, undoubtedly brought about by the fuel price hikes and the spikes in inflation.

While overcoming stress and anxiety and improving your emotional and mental health is a multilayered discussion, it cannot be ignored that, for many, stress is brought about by worries and concerns about finances. This underscores the importance of improved financial habits. Smart money habits reduce the risk of making poor lifestyle choices and the inevitable consequences. Wise choices with finances will put you on a better trajectory to living happily and contentedly.

Good financial habits will make it easier for you to live within your means. Being financially sound stems from the basic principle of spending less than what you earn. Your personal financial condition must be the key driver of your choices regarding your expenses—not the other way around.

There is always a temptation for younger adults to spend more than what they earn because they think they can still earn the money back anyway. And more often than not, this leads to unnecessary debt and the stress that goes along with it.

Excellent money habits will also train you to manage and control the risks associated with various aspects of financial planning and help you prepare for emergencies and unforeseen circumstances that may arise in the future. Being very careful about your finances is of utmost importance because just one or two unexpected situations that require a huge amount of money can quickly change the direction of your life.

If you have developed good money habits, you will have a source for emergency funds in case of a major situation, but if you are spending your money on things you do not need, you may not have any money to spend when you need it the most.

While you are young, developing smart money habits will also lead you to methods for generating financial returns even after you stop earning. Those who are financially successful know that this is truly the secret to building wealth. Whatever your source of income is, you need to be aware of strategies for exponentially adding to your wealth and getting returns, even when you are no longer earning money. This comes as investments that allow you to channel your money into revenue generation with little time and effort.

Good financial habits will give you the capacity to invest in savings accounts, stocks, bonds, retirement plans, insurance policies, and other forms of investment. These investments accumulate over time, provide a hedge for you against inflation and other economic upheavals in the future, and can also be sources of emergency funds in case of unforeseen situations. Of course, being able to channel funds into these investments means being frugal and focused on your daily spending, something that can be achieved through smart financial habits while you are a young adult.

BEAT FINANCIAL STRESS WITH SMART MONEY HABITS

Bad financial habits will lead to financial stress and, if not mitigated promptly and properly, this can open up to more physical, mental, and financial problems, perpetuating a vicious cycle that can be quite difficult to get out of. Money worries can be overwhelming, especially to teenagers and younger adults, but no matter your circumstances, do not lose hope! Wise choices and habits can help you get through tough times and regain control of your finances, thus relieving the anxiety and stress caused by these issues.

We have already discussed how money doesn't buy happiness but is essential to allow you to do those things that contribute to your happiness. However, when you experience a personal financial crisis, this will surely cause you to be unhappy, especially if you are caught off-guard and do not have any preparations or alternative plans in place.

Financial stress will not only cause unhappiness in you but also affect those around you, whether your reaction to financial hardships is withdrawing from your friends or family or lashing out and directing your negative emotions at those around you.

The first thing you need to understand about financial stress is that you are certainly not alone. So many people today, regardless of their location or background, are dealing with the uncertainty and financial stress of the times and trying not to be overwhelmed by layoffs or underemployment, inflation, rising living costs, debt, emergency expenses, and other problems.

Before the pandemic of 2020 that upended the financial situation of so many worldwide, 72% of Americans already reported feeling financial stress sometimes, at least according to a study by the American Psychological Association (APA). The current situation has undoubtedly exacerbated this reality in more ways.

Financial problems are a different type of challenge to overcome. They not only take their toll on your wallet or bank account but also significantly affect your interpersonal relationships, physical health, mental and emotional well-being, and general quality of life. Financial struggles can lower your self-esteem and cause imbalances or changes in your emotions and feelings, leaving you with anger, shame, fear, tension, and hopelessness.

Money-related stress has been linked to insomnia and other sleep disorders. Perhaps you have experienced being unable to sleep at night because you are worried about an upcoming bill that needs to be paid or a debt that needs to be settled and not having enough money to cover these expenses. The problem is that lack of sleep can worsen anxiety and depression and also contribute to other physical problems, such as migraines, lack of energy, and weight loss. Other physical ailments that can be brought about by financial stress include diabetes, high blood pressure, gastrointestinal issues, and heart disease.

The unbearable weight of financial stress also leads many people to unhealthy coping mechanisms, including alcohol abuse, illegal drugs, overeating, gambling addictions, self-harm, or even suicidal thoughts or attempts. When the situation seems bleak and hopeless, the tendency is to seek some sort of respite from the negative and distressing thoughts, and substance abuse provides temporary relief. However, the problems do not go away and contribute to the never-ending cycle, even compounding the situation.

If you are dealing with financial stress, your first instinct may be to go it alone and hide from everyone else, withdrawing from family or friends. You may feel some shame or awkwardness about your financial situation and choose to look for solutions on your own. But you should realize that bottling up your feelings and hiding your circumstances will only worsen everything. It would be beneficial for you to find someone who understands your predicament and be a source of encouragement in this situation.

Consider speaking confidentially with a family member or friend whom you know you can trust fully and are comfortable speaking openly to regarding your financial hardships. Remember that whoever you choose to open up to does not need to offer you any financial help or a quick-fix solution to your struggles. Rather, you just need someone to talk to without judgment or criticism so that you can put things in a better perspective while being honest about your emotions.

If you are unsure about approaching those in your social circles, you may also consider getting professional advice from someone in your area. Check your city for organizations that offer counseling on various financial subjects, including debt management, budget creation, dealing with creditors, financial help, claiming benefits, or looking for full-time or part-time work.

Often, these professionals and experts are also well versed in dealing with the emotional and mental health effects of financial stress, or they can connect you with a professional who can guide you specifically in that area.

The conversations you will have with your trusted family member, peer, professional advisor, or counselor will inevitably lead back to the importance of establishing good money habits. Again, you should always keep in mind that reaching out and asking for help is nothing to be embarrassed about.

Everyone goes through difficult situations in life, and during these times, you must reach out and have someone to lean on for support. But you should also be willing to listen to their advice and suggestions on how you can take back control of your finances through smart financial habits.

The first step in this process would be to make an honest and clear assessment of your financial situation. Easing your financial stress and worries by avoiding the problem as much as possible, throwing away bills or statements without opening the contents, dodging phone calls from creditors, or ignoring the overall gravity of the situation will only worsen the problem over time. Instead of skirting around the issue, take an inventory of your financial situation by facing the problem head-on and detailing your income, expenses, and debt.

As you see the big picture, this will also help you zero in on the smaller details. This often seems like such a tedious and daunting task, but detailing each component of your financial status is essential for regaining control and keeping things from completely spinning out of control.

For instance, you will need to assess all of your sources of income, such as your salary, commissions, bonuses, earnings from businesses, and other forms of income, such as child support, alimony, and benefits. The income must be accurate so you know how much money you can expect and what to base your budget on.

Closely tracking each aspect of your spending is also an important financial habit that needs to be developed so you can take charge and ease your financial worries. A detailed knowledge of exactly how you spend your money each month is essential in your budget creation and mapping out a solution for getting out of your financial hardships. This part of the process will also include listing down your debts and devising a plan to repay them over time and become financially free.

Financial freedom is the goal that will not only improve your quality of life but also finally release you from the vicious cycle of unmanaged expenses, excessive debt, and lack of savings. The concept of financial freedom encompasses having the right amount of cash on hand, savings, and investments that allow you to enjoy the life you want for your family while also preparing for retirement.

Financial freedom is no easy feat to achieve. Still, it is not impossible if you develop the wise financial habits needed to curb overspending, avoid unnecessary debt, repay all existing debts, and have a sizable amount of savings and investments.

When you attain financial freedom, you will also have more time and resources to do those things that help you become a healthier, happier individual. Therefore, smart money habits should not be dismissed, no matter how inconsequential they may seem. Remember, these simple choices develop into lifelong patterns that spell the most significant difference between those struggling and those thriving in money-related matters.

If you are tired of being worried, stressed out, anxious, unsure, and unhappy about your financial situation, the choice is yours to pick yourself up and start changing your life's direction one step at a time. Do not allow yourself to wallow in the bleakness of the circumstances or be overwhelmed with the gravity of the situation.

As a young adult, you have the potential to still turn things around and lead a fulfilling life characterized by financial independence. But that can only happen if you step out and connect with someone who can provide mentorship and accountability.

Have you considered what your financial goals are? Consulting with your support group or your trusted professional adviser must include a hopeful and realistic discussion of exactly what your financial goals in life are. If you have detailed financial goals, you will have the motivation to push yourself and keep your eyes on the prize. In the next chapter, you will read all about setting your own financial goals and ensuring that they are realistic, attainable, measurable, and systematic.

2

SET YOUR OWN FINANCIAL GOALS

I n the different aspects of your life, setting clear goals is important for successfully achieving your desired results. Personal and professional goals have many benefits, including enhanced self-confidence, motivation, and independence. The younger and earlier you get used to setting and achieving goals, the more you will become a resourceful and proactive individual who also displays skills in planning, prioritizing, and strategic decision-making.

In your financial life, having achievable goals will also place you in a better position to attain success and stability as you overcome fresh challenges and reach your hopes and dreams. The biggest advantage of clear financial goals is that they assist you in focusing on the plan of action you have created for practicality and efficiency.

When you have clear and compelling goals in place, you can align your techniques and focus them on behavior and habits that are streamlined toward achieving success within a reasonable period.

Also, having clear financial goals makes it easier for you to assess your progress and monitor whether you are making good time, falling behind, or even ahead of schedule when it comes to achieving your objectives. It is important to have set benchmarks so you have a realistic end goal and assess what you can do to improve, change, or continue your strategies. In addition, monitoring your progress and seeing what milestones you are hitting will create momentum and much-needed motivation to keep pressing on because you know you are getting closer to your intended results.

Effective financial goals will also be good for your accountability and minimize distractions along the way. For instance, if you assess where you are in your plan of action and realize that a certain strategy you have in place is ineffective, you will make the necessary adjustments to get better results. Any strategies that deliver intended results can be maximized and replicated for future benchmarks.

The first part of setting your personal financial goals is knowing where you stand currently. What is your complete financial picture at the moment? Whether you are a teenager, a college student, or a young professional, you should have an accurate and comprehensive picture of your financial standing so that you can properly align your goals. This starts with calculating your net worth, or the value of the assets you own after any liabilities you owe. Your net worth is an essential metric for assessing your financial health.

To calculate your net worth, you will subtract your current liabilities from your assets. An asset is anything you own with monetary value, while a liability is any type of obligation you need to pay, including loans, mortgages, and accounts payable. Your net worth can be positive, which means your assets are more than your liabilities, showing good financial health on your part. A negative net worth means your liabilities are more than all of your assets combined, which is a sign of poor financial health.

When you calculate your net worth, anything with monetary value, such as your checking account, savings account, real property values, securities like stocks and bonds, insurance plans, automobile market value, and other possessions, will be categorized as your assets.

Meanwhile, any credit card balances, student loans, mortgages, car loans, recurring bills, taxes, and other obligations you owe will be considered your liabilities.

Your net worth is anything left over once the assets have been sold off and all liabilities are paid in full.

Johnson Family As of December 01, 2022			
Assets		**Liabilities**	
Home	$250,000	Mortgage	$100,000
Investment Portfolio	$100,000	Car Loan	$10,000
Automobile	$10,000	Debt	$5,000
Savings	$15,000		
Total Assets: $375,000		*Total Liabilities: $115,000*	
Total Net Worth: $260,000			

Figure 1: Johnson Family Net Worth Computation

As you assess your net worth, you must also understand your financial patterns and see how they need to be aligned with your financial goals. It is imperative to know that many of your financial habits are carried over from childhood and may influence your decision-making as you get older. Any negative patterns must be identified so you can consciously decide to eliminate them. Positive and beneficial patterns may be reinforced or enhanced in line with your objectives.

For instance, you can scrutinize your spending attitudes and habits to pinpoint which behaviors need to be changed. As you go over your assets and liabilities and review your purchases each month, honestly review which of your regular expenses help you with your broader financial goals and which ones are setting you back from getting to the next level.

If you are constantly going over your budget, which purchases are unnecessary and may be linked to unhealthy attitudes or behaviors you may have learned from your parents or peers? These patterns must be examined so that the most workable solutions can be put in place.

A healthy understanding of your financial patterns will also require honest conversations about money and other financial-related matters. Many individuals are reluctant to talk about money or honestly assess their situation because their parents also did not openly discuss money matters or resorted to arguments or other escape mechanisms rather than getting to the root of the issue.

Because they did not see healthy examples of financial conversations while growing up, talking about finances may also make them uncomfortable. If you are in this predicament, however, calm, balanced, and timely conversations about financial matters are healthy and contribute to your financial health.

As you understand your patterns in spending and saving, you must always keep an open mind and be open to learning. As mentioned in the introductory pages of this book, many of us did not have adequate training in money management or basic financial literacy. However, the good news is that there is still time to learn proper habits and correct any wrong patterns you may have developed.

You can maximize resources, such as online articles, video tutorials, online courses, applications, calculators, and other opportunities to enhance your knowledge of healthier financial habits. That is another advantage you have as a younger adult: there's a wealth of information out there, and you have the freedom to use it!

TYPES OF FINANCIAL GOALS

Depending on your age, aspirations, needs, and current situation in your life journey, you will have different financial goals that are unique to everyone else's. These goals are milestones or objectives you would like your material resources to cover at a point in time. Regardless of the type of financial goals you are setting your sights on, the important thing is that they need to be clear and aligned with your dreams and ambitions.

Some financial goals you may have include setting aside a substantial savings account or emergency fund for unforeseen expenses, paying off all of your debts, a major purchase such as a home, paying your way through college, or going on an extended vacation or overseas trip.

However, financial goals do not always have to be about purchases. Financial goals may also be aspirational in other ways, including adopting a minimalist lifestyle, getting a raise or promotion in your current job, setting aside an amount of money for a charitable organization or other worthy cause, achieving millionaire status by a certain age, or establishing a stable side gig or business enterprise.

Financial goals can also be categorized according to their timeframe or the period in which you would like to attain the objectives. For instance, you may have short-term financial goals or those achieved within 12–24 months. Some short-term financial goals may include saving up for a luxurious vacation, saving up for Christmas presents for loved ones, planning for a wedding, building a savings or emergency fund, paying off credit card debt, or setting aside money for a home renovation or home improvement project.

The money that you specify for short-term financial goals must be easily accessible and liquid, and a savings account is the best option for this type of goal. You can opt to open a savings account with your trusted bank or financial institution and then keep adding funds to this savings account monthly, biweekly, weekly, or whenever you get your paycheck, for instance. In addition, any additional but nonrecurring income you receive may be set aside for short-term financial goals, including stimulus checks, tax refunds, bonuses, commissions, or earnings from sales of assets or investments.

If you are a young adult, paying off your debts as soon as possible would be one of the best short-term financial goals to prioritize. Debt continues to grow the longer you have it because of interest, so the shorter amount of time you can pay off your debts in full, the less you will spend on interest payments—thus freeing up more of your financial resources for your other goals.

Of course, not all debt is bad, and some kind of debt is also necessary to build your credit history and establish your creditworthiness as a borrower for future purchases. That said, debt becomes an issue if you get overwhelmed, especially if most of the debt you accrue is unnecessary and can hinder you from achieving financial independence.

If you are having difficulty keeping up with debts, then it is high time to start a clear-cut short-term goal for repaying what you owe.

One method you can opt for is the debt avalanche method, which entails making at least the minimum payments required on all of your debts monthly, then choosing to pay any additional money you have left over toward the debt with the highest interest rate. The aim is to continue paying down debts but speed up the higher interest ones at a faster rate until cleared off, then move to the debt with the next highest interest. This method is often the most efficient and savings-friendly because it targets the highest interest-generating debt.

The other common method is the debt snowball method, which is like the avalanche method in that minimum payments are also made each month, but instead of applying any extra money toward the highest interest-generating obligation, the smallest debt amount is prioritized. The idea behind this method is to clear off the easiest debt amounts first, and for many individuals, there is a certain level of personal satisfaction from seeing those debt balances zeroing out one by one.

If you are grappling with multiple credit card debts, make repayment easier and also potentially save money by looking into balance transfer methods. Some credit card issuers allow you the option to transfer all of your existing credit card balances into just one card and then make one monthly payment for the total balance. The added advantage is that many of these balance transfer offers also have lower interest rates, so you might save money while also making repayment easier.

Another option for paying off debt is debt consolidation, especially if you have multiple obligations and are finding it hard to keep track of all the payments and balances on your outstanding obligations. This is a good idea if you are looking to streamline your financial activities and have several high-interest loans, such as student loans, car loans, and credit cards. But you should note that your credit score also affects whether you will qualify for a lower interest rate when consolidating your debts.

Also, an essential component of any short-term financial goal is building your emergency stash for unexpected expenses or sudden changes in your life. Again, as a younger person, you have the advantage of time because you have more of your prime income-earning years ahead of you to set aside a sizable amount for emergencies. But this requires strategic planning and careful decision-making that eliminates unnecessary spending and maximizes your available resources.

Most financial advisors and experts will strongly recommend that you try to build up an emergency fund that can cover between three to six months of your regular expenses. This is a good cushion that will help you manage major events and avoid the anxiety that comes with not having any sources of funding for a health emergency, car repair bill, or the sudden loss of a job.

In fact, if you can have savings that can cover up to a year's worth of your expenses, this will put you in a better position to stave off any emergencies that may arise.

What I usually recommend is to make savings your priority when budgeting rather than an afterthought. Perhaps you are used to the idea of prioritizing your basic needs when budgeting; for instance, when you get your paycheck, you pay your bills such as rent or house payment, car payment, food, utilities, and other obligations, and then save whatever is left over. But my recommendation if you are really serious about being able to save is to do the exact opposite: set aside a certain amount for your savings fund first, then work with whatever is left over.

For example, if you have assessed that you can save 5% of your monthly income toward your emergency fund, set aside that amount before budgeting the rest of the 95% for your other needs.

Then, as you develop smart money habits, you can gradually increase the amount you set aside for monthly savings. For instance, it is a good short-term financial goal to save at least 10% of your monthly paycheck after one year. Then, gradually increasing this to 15% by the next year.

Ideally, as your income increases because of promotions or better job opportunities, your savings goals should also be reassessed in a proportional way to your income. This may be a short-term financial goal, but it is a good way to protect yourself from any future situations.

Another type of goal would be the **mid-term financial goals** with a timeframe between two to five years. These are goals that would typically require larger amounts of money and also more rigorous planning. Any amount of money that you are earmarking for mid-term goals would be best kept in investment products or accounts with higher interest rates, such as Certificates of Deposit or CDs, which are not as easily accessible compared to savings accounts but result in bigger returns.

Some examples of mid-term goals may include saving up enough money to put down a deposit for a home or paying for an automobile in cash and foregoing a car loan. Other good examples of mid-term financial goals include getting life insurance and disability income insurance, both of which will be very important if you plan to have a family in the future (or have already started a family).

A life insurance policy should be on your list of mid-term financial goals because, in the future, this policy will ensure that your family will be taken care of monetarily should you pass away prematurely. There are several types of life insurance policies, but the most common is term life insurance.

Term life policies are also the simplest and typically the most affordable and should be enough to cover most of your insurance needs. But if you can afford it later, you should also consider a whole life insurance policy because it can be an additional source of funds for wealth building.

Depending on where you work, you may or may not already have some type of disability insurance that protects your income in case you become seriously ill or injured and cannot continue working.

Disability insurance differs from Social Security disability income, so you should check with your workplace whether you have disability insurance coverage. If not, or if you think it is inadequate, you may also buy one for yourself as part of your mid-term financial goals.

Having disability insurance protection will allow you and your loved ones to live comfortably and have your needs met in the unfortunate event that you are rendered unable to work because of illness or injury.

According to their timeframe, the last type of financial goal would be **long-term financial goals**. These goals have a typical period of five years or more. Because they are geared toward your future financial stability and security, they also require long-term planning and determination. Some common examples of long-term financial goals would include saving up for a college education for your children, retirement investments and savings, and paying off your mortgage in full.

Of course, the most substantial long-term financial objective for most individuals is having enough money set aside for retirement. Financial planners would usually recommend that you set aside at least 10% to 15% of your income toward a retirement account with tax exemptions, including a 401(k) or 403(b). If possible, you may also opt to contribute toward a traditional or Roth IRA.

If you are already working, you should certainly look into whether your workplace has an employer-sponsored retirement plan with contribution matching. In this structure, your employer will match a percentage of what you are paid if you are contributing to the retirement plan. Most times, you may even get up to 100% of your investment returns if you contribute enough to qualify for the full employer match. This is one of the simplest and most effective ways to build your retirement savings while you are young.

Another good idea when taking care of your long-term financial goals is to consult with a financial planner or retirement counselor regarding the best course of action for jumpstarting your retirement preparations. This would include a thorough assessment of your desired yearly living expenses during retirement, calculating how much income you can expect to receive from retirement plans, pensions, or Social Security, and what retirement assets you should invest in to reach your objectives.

The great thing about long-term financial goals is that you can always go back, review them, reassess their standing and progress, and realign them as needed. As your financial situation changes, you may also make adjustments to your long-term goals to reflect the transitions you are going through in your personal and professional life. The important thing is to stay on top of things and remain focused to reach your desired goals and reap the corresponding rewards.

SET SMART FINANCIAL GOALS

If you are familiar with the S.M.A.R.T. acronym for goal-setting, you can apply this strategy to your financial goals. S.M.A.R.T. stands for:

- *Specific*
- *Measurable*
- *Achievable*
- *Realistic*
- *Timeframe*

So, how can you apply this method to your various financial goals? First, be **specific** about the financial goals you are outlining for yourself. The more specific your goals are, the easier it will be to map out the best possible way to get to your destination. A clear target should give you an understanding of what you are trying to accomplish in your financial life and will also motivate you because you have an end goal in mind.

For example, if you have a broad financial goal, such as "I want to save up for a new car," you need to be more specific and focused. What type of car are you aiming to buy? How much are you aiming to save up specifically for this purchase? How long are you giving yourself to reach this goal? After these considerations, a more specific goal would be: "I want to set aside $200 every month for the next two years so I can have enough to put down for a brand-new car."

Then, your financial goals must be **measurable** through different ways of quantifying or monitoring your progress. For instance, in the goal mentioned above, you have a specific amount of $200, which you will deduct from your income and transfer to a separate savings account every month. Periodically, you can check that savings account and see how much you have saved, and your progress toward your goal will be measurable. If you are not on track, you can easily see it and make adjustments.

Another advantage of measurable financial goals is how you can use them to celebrate little milestones and reward yourself. For instance, once you have reached 50% of your savings goal for that brand-new car, how about a little treat for yourself?

You can celebrate this achievement by heading to the nearest car dealership and looking at the vehicles you are eyeing to purchase once you have the funds (this will motivate you to keep saving!), and then getting your favorite meal from your restaurant of choice (within budget, of course). Celebrating small wins like this is great for your mental and emotional health and gives you that much-needed boost to keep pushing toward the finish line.

You should also ensure that your financial goals are **achievable**, meaning they are within your reach and realistic to your situation. Part of this is identifying exactly what steps or methods you will need to take to become closer to your goal.

For instance, if it is possible to set up automatic transfers from your primary bank account to your separate savings account for that car purchase, why not set it up already? This way, the money is secure, and there is no chance of you forgetting to do the transaction each month.

As you create your budget, you should also check and make sure that you can still provide for your basic needs and fulfill your other obligations, even with the goal you have in mind. When you deduct that $200 from your monthly income, for example, will you still have enough left over to pay your rent and utilities?

How about your food, transportation, and other daily needs? Will you still have money to continue paying down your other debts? If the answers are all yes, then you can honestly say that the financial goal is achievable and in line with your current needs.

It is not wrong to dream big or to aim high, but when setting your financial goals, you should also make sure that they are **realistic**. A good financial goal is challenging enough to push you to go beyond your comfort zone and aim higher, but it should also be within reach and realistically attainable.

In the case of saving for that new car, for example, if you are a younger person, saving up enough money to buy a brand-new car in cash within two years may not be realistic. But saving up to have enough money for a sizable down payment (and less in monthly payments afterward) is a realistic goal you can set your eyes on.

Of course, a **timeline** for your goal is needed so that you can also easily monitor if you are making good progress. That sense of urgency will keep you focused and minimize the risk of getting distracted by unnecessary purchases or impulsive choices. Stick to that timeframe so you can have one major financial goal in your win column, and you can move on to the next one while you still have the advantage of youth.

POSITIVE AFFIRMATIONS

When setting your goals, you should not be afraid to dream big and aim for the highest probable outcome. If you have heard of applying positive affirmations and how they can help in overcoming negative thoughts, you should know that these affirmations definitely have a place in your financial goal-setting as well.

Positive affirmations have been found to be effective specifically in activating reward centers or regions in your brain. These neural pathways respond to affirmations similarly to other pleasant experiences, causing you to feel happier, more positive, and more motivated.

The journal *Social Cognitive and Affective Neuroscience* published a study in 2015 where MRI was used to determine how regular self-affirmation positively affects the human brain. Aside from increasing those happy thoughts and boosting confidence, positive affirmations were also found to minimize stress levels, increase exercise levels, improve academic achievements, and even boost the desire to eat vegetables and fruits.

How exactly does it work? Your brain is always creating shortcuts for decision-making, recording different analytical assessments from experiences in order to make quick judgments in the future. These shortcuts are known as cognitive biases; some notable examples include the Dunning-Kruger Effect (the tendency for skills to be overestimated or underestimated), Confirmation Bias (or looking for confirmation of things you already believe), and Observational Selection Bias (noticing more of something once it has been initially noticed or encountered).

Now, when you practice positive affirmations, you train your brain to take shortcuts and biases that lean toward good habits and a healthier perspective of yourself and your skills. If you integrate self-affirmations that emphasize how you can save more money or resist the urge to splurge on unnecessary things, your brain will also subconsciously absorb these perspectives and look for signs to help in achieving those goals. You can say that positive affirmations are mental exercises that train your brain to think a certain way.

What are some examples of positive financial affirmations you should tell yourself constantly? Here are a few of my favorite recommendations:

- I deserve to live an abundant and financially independent life.
- Money does not control me; I have full control of money.
- I have a clear and solid plan for my finances, so I do not need to be scared or anxious.
- Money can expand my opportunities and experiences in life.
- I am not poor; instead, I am on my way to a prosperous life.
- I have the power and the skills to become a financially independent individual.
- My life is full of wealth beyond just material things.
- I have the power to create a successful financial future for myself.
- I choose to make smart decisions and spend every dollar wisely.

There are more abundance affirmations or money mantras you can include in your life. It is up to you to decide how many or which of these short sayings are most suited for your journey. The important thing to remember is to choose affirmations with a positive and encouraging tone that will keep you focused on achievements and milestones instead of setbacks. As you enhance your mindset, you will also move forward in the pursuit of your financial goals.

These goals are great to have in your corner, but they will all need a certain level of discipline and focus on your part to be achieved. The most basic way to rein in your expenses is to have a structured and workable budget that considers your income and purchases every month, and in the next chapter, you will read all about the nuances of budgeting.

How can you create the best possible budget that will take you to your financial goals within the soonest possible time? Let's look at all things budget-related in the next few pages.

3

BUDGETING

I n order to achieve your financial goals, keeping track of your spending habits will be a crucial component. As a young adult, you have the opportunity to develop excellent money-related habits you will carry with you for the rest of your life. Also, if you have inadvertently picked up misconceptions or harmful habits related to your finances, you still have the chance to correct them and get on the right track. This is not to say that older adults no longer have the capacity to correct their habits. But the earlier in life you start managing your finances wisely, the better your chances will be.

Make a quick assessment of where you stand currently. If you have just started earning your own money, are you constantly in debt or finding yourself saving very little or nothing at all from your monthly income? Chances are, this predicament is because you are not paying enough attention to how you spend your money every month. Now, if this cycle does not get corrected as soon as possible, you may soon find yourself in a much worse financial problem.

Many people mistakenly think they need to focus only on major purchases, including rent, utilities, loans, or transportation. But the reality is that every expense, no matter how substantial or seemingly insignificant, must be carefully tracked as part of your budgeting efforts.

Even small purchases, such as late-night drive-thru fast food runs, morning coffee takeaways, or online clothing or shoe purchases, add up over a monthly period. If you are not careful, these smaller expenses may actually be what cause you to go beyond your income or incur unnecessary debt.

It is imperative to monitor all of your expenses closely so you can fine-tune your strategies and maximize each dollar you earn against every expense in your day-to-day living. Then, you will be on a better path toward achieving a healthy balance and saving up for your future. Effective expense tracking also gives you a clear picture of your debt situation so you can work on paying them off and becoming debt-free in the foreseeable future.

You can make it easier to track your expenses using a wide variety of methods. The most basic way to do this is by manually writing down your financial transactions on paper. This can be as simple as taking note of each completed transaction, noting the date, amount, and what the purchase was for. Then, you can compare your log at the end of the month against your bank account or credit card statements. Maintaining a paper trail is basic, but you do need to be diligent enough to remember to log each transaction.

Your monthly credit card and bank account statements may also be beneficial in expense tracking. Most banks now make it extremely easy for you to view your statements online or even download a printable version. Your statements will show you the purchases you made using your credit or debit card, checking account, or other linked payment methods. This is easier than the manual method, but there is one glaring drawback: your account statements will not show your cash purchases (although you can track your over-the-counter or ATM cash withdrawals).

With the advent of technology, online expense-tracking applications have also grown in popularity. These software applications combine the best features of manual and online tracking methods to deliver an accurate and comprehensive picture of what your income and expenses look like at the end of each month.

Many expense tracking apps are free or have both a free and paid version. As a teenager or young professional, you can probably make use of the free expense tracking programs for now, and if your needs change in the future, opt to upgrade to a paid version.

BUDGETING WITH CATEGORIES

So, what exactly are those categories mentioned frequently in the discussion on expense tracker apps? Budget categories make it easier for you to group various expenses according to their general purpose. Remember, the simpler and more streamlined you can make the budgeting and expense tracking process, the easier it will be for you to get your desired results.

Here are the basic categories you can include in your budget:

- *Housing*

Shelter is one of the basic human needs, so it makes sense to make this your top priority in your expenses. You can expect to set aside 25% to 35% of your monthly income for your housing expenditures. These would include rent or mortgage payments, household maintenance and repairs, home appliances, and other related costs. Look at your housing expenses, and if they go beyond 35% of your income, you may need to assess if downsizing is necessary.

- *Utilities*

Closely related to your housing expenses would be utilities. This category encompasses water, electricity, natural gas, sewer, telephone, internet, garbage collection, heating, air conditioning, and other expenditures that add comfort and function to your living space. A good average to aim for is about 5% to 10% of your income toward utility payments. If your utility bills are going over 10% of your monthly income, careful review and management should be done to lower them as much as possible. Of course, certain times of the year also cause increases or decreases in some utility expenses.

For example, you will pay more for heating during the winter months but significantly less for air conditioning. Then, during the summer months, you'll be using the AC more and saving on the heating expense. It's all a matter of proper allocation so you can stay within budget.

- *Transportation*

Depending on where you live, this may be the next most significant expense category after housing and utilities. If you live in the suburbs and drive to work every day, the cost of paying for and maintaining a car, as well as fuel and other upkeep expenses, can easily take up between 10% to 15% of your monthly income.

Now, if you live in a city with reliable public transport options, you can save a lot on vehicle ownership costs. Similarly, if you work from home and don't drive as much, you can save a lot on fuel costs. Of course, owning a vehicle also comes with other expenses, such as registration fees, repairs, maintenance, parking, etc.

- *Food*

One of the basic human needs is food. Food-related purchases will account for 10% to 15% of your income. Again, if you review your expenses and see that your groceries or dining out take up more than 15% of your income, it's time to review how you can better allocate your resources.

Generally speaking, cooking your meals at home is more cost-efficient and healthier, so you may need to plan on preparing more meals at home and getting fewer takeout or drive-thru meals.

- *Insurance*

Insurance payments cover anything from your car, home, or apartment and even your health and dental care. Your living situation determines which insurance policies you will need. For instance, if you do not need to maintain a car, then you can skip the car insurance expense as well. If you are renting, you will pay renter's insurance, while homeowner's insurance is attached to your mortgage payments. Also, your place of employment may or may not provide you with a medical and dental plan.

You may need to allocate between 10% to 25% of your money for insurance expenses.

- *Healthcare*

If you have any chronic illnesses or other ongoing health-related conditions, you may have to shell out more for this expense category. But generally speaking, this is not a major expense for teenagers and young adults, at least compared to older adults. Healthcare expenses would be anything not covered by your existing insurance policies, such as policy co-payments, prescription medications or eyeglasses, orthodontic work, or visits to primary or dental care clinics.

While you are younger, it is imperative that you manage your resources wisely so you will be prepared for more substantial costs in the future.

- *Savings funds*

I would actually recommend younger professionals to prioritize their savings expenses higher. A good place to start is to channel up to 10% of your monthly income to different savings, then try to increase that percentage gradually as your salary goes up.

The savings category would include your emergency fund, health savings accounts, specific savings for college or a new car, and a stash of money covering up to six months of your expenses in case of unforeseen hardship.

- *Retirement*

Yes, retirement may seem far off into the future when you are a teenager or in your 20s. But if you are not careful about preparing for your retirement years now, you will end up not having enough money during your golden years when you should just be relaxing.

Retirement expenses would include your contributions to your 401(k) or employer-sponsored plan, 403(b), Roth IRA, and other savings for the future when you will no longer be working. Start with at least a 5% to 10% contribution of your income toward retirement, then increase it to up to 15% as you manage your finances better.

- *Debts*

About 80% of the American population has some form of debt, whether student loans, credit card debts, personal loans, car loans, mortgages, or other kinds. Debts can be paid off gradually over time, so they need not be very high on the priority list. But penalties and compounding interest can overwhelm any individual if debts are not managed properly.

If you can pay a little more than the monthly minimum for your debts, you can clear them off faster and achieve financial freedom. Everyone's debt situation varies, but it is safe to say that if over 25% of your income is going toward debt, then it is time to make drastic changes before things get worse.

- *Lifestyle*

This category is interesting because it may include both needs and wants. Lifestyle may refer to personal hygiene or personal care expenses and any other purchases that may not necessarily be considered essential.

Expenses you can include under lifestyle and personal care include shampoo, toothbrush, toothpaste, deodorant, cosmetics, toiletries, hair care, tanning salon trips, gym memberships, shoes, or dry cleaning, among others. These purchases are not wrong, but they should be carefully managed and should not be taking up an unnecessarily large part of your budget.

- *Entertainment*

Expenses listed under entertainment are discretionary purchases. They are nonessential but help make your life enjoyable, so while they are not priorities, they should still be allocated to a part of your budget. This is, of course, provided that you have already taken care of the priorities in your spending allocation.

Entertainment expenses include electronics, concert or ballgame tickets, books, movies, streaming services, restaurant dining, coffee shop spending, and vacations or events, among others.

- *Other expenses*

These are miscellaneous items that do not fall under any of the categories already mentioned. Under this list, you may include donations (both tax-deductible or otherwise), gifts, alimony, child support, holiday decorations, special occasions and celebrations, tutoring expenses, child care, or school supplies.

Some of these miscellaneous expenses are more important than others, but the important thing is to list everything so you can stay on top of your finances each month.

TYPES OF PERSONAL BUDGETS

People like to have options. With personal budgets, you also have a wide range of budget types to choose from. These varying methods help you customize how you will manage your finances in a way that suits your lifestyle and needs. Also, if you opt for a budget type that you prefer, you will be more likely to find the motivation to plan, assess, and improve on it.

One type of personal budget is the **zero-based budget,** where you start from scratch each year. Whatever your budget may have looked like the previous year, leave that behind and start afresh. Your new budget will be based on your current income and needs, and each expense will be determined. The expenses that are still applicable will be kept, while those that can be eliminated will get the boot.

The zero-based budget method prioritizes allocating your income to expenses, savings plans, and paying off debts. Ultimately, this personal budget is meant to have your income minus your expenses, savings, and debt repayments equal to zero each month. If you spend on unnecessary purchases or go over your budget, the zero-based budget may benefit you. This strategy also works when trying to monitor those expenses that increase or decrease depending on the year or the season, such as holiday gifts, vacations, and healthcare.

A more simple budget method that many people adopt is the **50/30/20 budget.** This strategy allocates 50% of income toward housing expenditures, utilities, transportation, and other essentials. Then, 30% is allocated toward less important items like entertainment, personal care, clothes, shoes, fancy meals, or nights out with friends. The remaining 20% is earmarked for savings, emergency funds, and retirement savings.

The good thing about this type of personal budget is that it makes the entire process easier, and the simplified approach may work to your advantage. If you are new to budgeting and tracking your expenses, the 50/30/20 strategy may be restrictive. But if you are serious about taking control of your finances, the disciplined perspective of this budgeting strategy may be just the right way to curb overspending.

Users who are intent on focusing on building up their savings should look into the **reverse budget** type. This technique sets aside the amount you want to save first, and then your budget for your expenses will be based on what is left. With a reverse budget, you will first determine what percentage of your monthly income you want to allocate for savings, retirement, and emergency funds. For instance, if you are earning $3,000 monthly and you have a savings goal of 20%, then you first set aside $600.

Then, you will budget the remaining $2,400 for housing, transportation, utilities, food, and other expenses. The motivation behind this is to save first so that more money will be left over by the end of every month. This creates a cushion for unforeseen expenses, like hospital bills or car repairs. If you are fully focused on building your savings allocation, prioritizing it using the reverse budget strategy may be your best option.

Yet another simple but highly disciplined type of personal budget is the **60% solution**. With this strategy, you will segment your monthly income into two general categories. First, 60% of your money will be allocated for 'committed expenses,' including housing, transportation, food, utilities, and nonessential recurring expenses. Then, the other 40% will be divided into other general budget categories with a maximum allocation of 10% each.

For instance, you will earmark 10% for long-term savings, 10% for short-term savings, 10% for retirement plans, and 10% for entertainment and other wants. The percentages may be customized depending on your financial goals and your current income. With the 60% solution budget, detailed tracking of the expenses within each category is unnecessary as long as the allotment is not exceeded.

For individuals who are finding it hard to keep their finances under control or have tried other budget methods and failed, this 60% solution may be advisable. Also, this plan may benefit those who have just started earning and do not yet have many financial obligations or debts. Again, the very restrictive and disciplined approach of this budget type should be emphasized.

If you transact primarily in cash, try the **envelope method** for personal budgeting. The idea is simple: you will divide your money into different envelopes, each designated for specific purchases. You can only spend the money allocated in each envelope and nothing else. This is a very simple and effective method because no spreadsheets, formulas, or digital trackers are needed.

Perhaps you are trying to get out of credit card debt or control your online purchases by restricting your card and digital payment usage. Here, the envelope method will be a good option because you will be forced to make more conscious purchasing decisions based on the cash you have on hand. Even if you are not primarily a cash user, you can still create virtual envelopes and get the basic premise of the envelope method.

In fact, many banking apps and expense trackers give you the option of creating these virtual accounts or envelopes where you deposit money, much like a physical envelope. Then, you will designate each virtual envelope's designation, ensuring that you can monitor spending. Similarly, you can use prepaid cards with zero fees, which let you load a specific amount of money. Then, you can designate what expenses each card should go to.

If your income goes up while you are honing your personal budgeting, do your best to stay focused on the goal and consistently steer clear of unnecessary purchases. For example, if you get a salary raise or job promotion, the additional income can be allocated toward increasing your savings funds or debt repayment efforts. This will put you closer to achieving your financial goals without necessarily sacrificing your current standard of living.

Now, it is not wrong to treat yourself every once in a while and enjoy the fruits of your labor. You deserve to reap the rewards of your hard work, so if you snag that raise or promotion, go ahead and treat yourself to something nice. But you can do it without splurging too much and exceeding your budget. Self-care and personal motivation need not get in the way of developing your money habits and preparing for the future.

EMERGENCY FUNDS AND PREPARING FOR THE RAINY DAYS

Any working budget will have emergency funds listed as one of the essential items. This is because unforeseen expenses do happen, and you need to be prepared for them. Even though you are still a young adult, emergencies can arise at any time, and if you are not financially prepared, these situations can set you back significantly.

It should be noted that not all unexpected situations are necessarily negative. But by and large, the major situations that affect your financial situation lean toward the negative. This is why it is important for anyone, regardless of age, to transform their perspective and financial preparedness. Financial hardships can happen to anyone, but your level of preparation will determine how well you can ride them out.

What are some common emergencies that spring up? Loss of employment is one negative circumstance that you need to be prepared for. Whether you are a new employee or have been part of the workforce for several years, the sudden loss of a job can be a difficult situation to deal with. Termination or layoffs can happen at any time, regardless of what industry you work in. Some layoffs are because of prevailing economic situations, mergers, or acquisitions. Others are more seasonal. No matter the reason, you will be better positioned to weather the upheaval if you have made adequate preparations.

Major car repairs are another emergency expense that can set you back financially. This is especially problematic if you live in an area with unreliable public transportation. In order to get to your workplace, you need a reliable vehicle. But the situation becomes difficult to manage if major repairs are needed, and you cannot get to work. You need money to pay for the repair bill, but the inability to report for work will mean less income, making the problem worse.

Younger adults may be healthier but are not immune to sudden medical or dental emergencies. You are fortunate if you have an insurance that can cover part or all of your hospital fees, doctor's fees, medications, or procedures. But what if you do not have insurance or the procedure is not covered by your plan? Medical and dental bills can quickly pile up and stretch you to your limits.

Unplanned travel expenses are another emergency circumstance that younger people may face. Some examples may include having to travel a long distance to visit a sick family member or attend a loved one's funeral. Also, if you live in an area that is prone to severe weather, earthquakes, wildfires, or other natural disasters, evacuation orders may occur from time to time. When these orders are given out by local authorities, you will have no choice but to heed the warnings. Evacuating from the danger area will incur additional fuel, supplies, and accommodation costs.

Major home-related repairs vary for teenagers and young adults. If you are renting an apartment, many repairs and upkeep expenses are shouldered by the landlord. But if the repairs needed are for your personal possessions, you may need to shell out a few hundred bucks. Now, if you already maintain your own home, you will need to be ready for occasional repairs and maintenance bills, which can be quite expensive.

These are just some unplanned expenses you should be ready for. Having an emergency stash of cash not only protects you and maintains your financial stability but also lessens your stress levels. In a major life situation, you are already thinking about so many things. While dealing with the changes or trying to figure out how to resolve the situation at hand, your stress levels are already higher than normal. Having an emergency fund will at least lessen the impact on your mental and emotional health during this challenging phase in your life.

Keep your emergency funds liquid or easily accessible but not excessively within reach so you can easily be tempted to spend the money. Your emergency money would be best stored in an account separate from the bank account you use for your daily expenditures. This way, you do not succumb to the temptation of splurging on a completely unnecessary purchase just because you have extra money.

Another reason to have an emergency savings fund is to keep yourself from making impulsive and unhealthy money-related choices. For instance, if you suddenly need a few hundred dollars to get your car fixed or to pay for a medical procedure, you may find yourself turning to quick sources of cash that usually have lots of drawbacks.

Options such as payday loans, withdrawals from savings or retirement funds, using credit cards or other lines of credit, or contacting online lenders may temporarily give you the funds you need. But at what cost? These loan products often come with very high-interest rates, fees, and penalties, and it can take a while to repay them or get back on track. But if you have an emergency fund, you will not need to rely on these things.

Let's look at these steps you can take immediately so you can build your emergency fund:

- *Have several smaller savings goals instead of just one major goal.*

The suggested emergency fund is at least three months' worth of your daily expenses, stashed away just in case. But thinking of saving up an amount equal to three months of your living expenses can be overwhelming at the start. Thankfully, you do not need to burden yourself with that big goal right away.

You are setting yourself up for more success if you start with a smaller goal first. How about starting with a target emergency fund worth one month of your expenses? This is ultimately more workable and easier to attain. Build your emergency fund, and once you have hit your goal, you will be motivated to keep going. Plus, you will learn valuable lessons along the way and improve your strategies. As you set bigger goals, these smart saving habits become a part of your routine.

- *Small but consistent contributions are a great start.*

As you assess your income and expenses, you will inevitably figure out which expenses you can easily eliminate. That cup of signature coffee on the way to work every morning? If one cup costs about $5, that adds up to $25 weekly or $100 monthly! If you switch to making your own coffee each morning, then that $100 can be allocated toward your emergency fund. In a year's time, you will have saved $1,200 just from making that slight change.

Again, don't feel pressured to start with something big right away. If you look closer, you will find plenty of small expenses you can live without and transfer those savings to your emergency stash instead. Cut back on fast food (it's healthier for you, too), drive less and walk more when possible (and get much-needed exercise), and make those contributions regularly to your rainy day stash. The results will feel like a colossal achievement and will push you to keep increasing your savings contributions!

- *Simplify and automate saving every month.*

There are plenty of options nowadays that make it much easier for you to save money without even thinking about it. As an example, if your pay is directly deposited into your bank account, you can set up an automatic transfer to your savings account. At a specific date each month, the amount or percentage you indicated will be taken directly from your bank account to your savings fund,

The best thing about this strategy is that you will not even see or feel that deducted amount after some time. You will learn to live with whatever amount is left in your bank while building your backup cash fund. Also, if your savings account is not easily within your sight, the urge to spend the available funds will be greatly reduced. The logic here is to let the savings process take its course over time.

- *Be consistent and watch out for unnecessary spending or credit.*

Be very careful about having a false sense of security once you have built your savings fund. Just because you have a stash of cash somewhere does not mean you can overspend on purchases again, rack up your credit card bills, or take out loans. Remember, that emergency fund is meant to protect you when unforeseen events arise. It's not there to bail you out when you make bad money choices again.

Even if you are already allocating a good portion of your income toward your rainy day fund, you should still monitor your spending carefully. In fact, an assessment of your purchases every couple of months may reveal more ways to increase your savings fund or perhaps allocate more of your leftover money toward more important needs, such as debt repayments.

- *Explore how to grow your savings faster.*

When you first start your emergency fund, you will probably store it in a savings account with lower yields, so the funds are easy to withdraw when needed. Nothing wrong with this, but the interest will be much lower. So once you have reached your initial savings goal, grow it exponentially.

Your emergency fund can start earning on its own if you transfer it to an investment account with higher returns. One suggestion: if you have reached your initial goal of three months' worth of savings, start depositing your savings into a high-interest account such as time deposits, retirement accounts, or other investment products. You still have the emergency fund stashed away, and you are still saving a portion of your monthly income, but now you are aiming for higher long-term returns.

Have a fallback or backup budget as well that is always on standby. This backup budget can be implemented in case of a major unplanned event, such as unemployment or a medical emergency. This backup budget eliminates or reduces all unnecessary expenses and sticks to the most essential spending items only—at least until the crisis is resolved. Again, this reduces your anxiety and worries during an already stressful situation, helping to simplify decision-making and minimizing impulsive or emotional reactions. You can just whip out this fallback budget when an emergency arises and follow it as needed, guiding you through the predicament.

Can I Create an Emergency Fund If I'm Living Paycheck to Paycheck?

This is a question I have been asked several times, usually by younger adults who do not have a lot of disposable income. But it is not just those in their 20s and 30s who are in this situation. The post-pandemic reality has leveled the financial situation across age groups. Pamela Yellen, a bestselling author of finance books such as *Rescue Your Retirement,* said that about 63% of Americans currently live paycheck to paycheck, while 47% have burned through their emergency savings.

This is a circumstance that many have to deal with, and perhaps you are also in the same boat. You know it's good to set aside a savings fund worth at least three to six months of expenses in case something unexpected happens. But with so many immediate expenses and not a lot of cash available, you are wondering how this is possible to do.

Is it realistic to set a goal of building your emergency fund even if you are living from paycheck to paycheck? The answer is yes! When you review your income and expenses, you will no doubt find expenses you can either reduce or completely eliminate. No matter how small this amount may be, you can start with this money and begin to build your emergency fund.

Suppose you could reduce your cell phone bill by getting a cheaper plan with fewer features and mobile data. Then, you decide to also cancel your cable television or downgrade to the most basic plan and also reduce your streaming subscriptions to just one provider. After these changes, you come up with a monthly savings of $75. That's already a great way to build your emergency cash fund!

If you can save $75 a month for an entire year, that totals an amount of $900 in your account. This reserve cash fund will be a big help when you need it the most. Of course, your goal is to set aside a larger percentage of your income as time goes by and as your income improves, but do not put off building your cash reserve just because you think the amount you can afford to save is too small. There is nothing wrong with starting small as long as you get it started today.

Your perspective on emergency savings will also determine how successful you are in building your cash reserve. Instead of treating your emergency fund as just an afterthought or an expense that should not be prioritized, consider it as important as your other bills. Place your emergency fund on the same level as your utility bills, car payments, or rent, and you will train your mind to give it the importance it deserves. This will also motivate you to regularly contribute the same amount to your emergency stash instead of just putting aside whatever is left over.

One excellent means to jumpstart or boost your emergency cash reserve is by saving your income tax refund. When you receive your yearly tax refund, resist the urge to splurge it on something unnecessary and choose to put it toward your fallback fund. Now, if your tax refund is quite substantial, you can opt not to put the entire amount just in your savings fund. You can also use portions of the money for paying off debt and other essential obligations. But if you can set aside even half of your tax refund money for your emergency savings, that already gives you a big advantage.

A zero-based budget will be one of the best methods to use if you are keeping up from paycheck to paycheck. You must account for every single dollar you earn, then allocate a specific amount for each expense. Then, anytime you have some extra money because you spent less on a specific expenditure (for example, you allocated $200 for fuel but only used $175), the remaining cash will be added to your savings.

You will need to have clear spending rules for each aspect of your life so you can still set aside a reasonable amount for savings. This is manageable even if you are on a tight budget as long as you are willing to change your spending habits and perspectives. The smart money habits you develop while you have limited resources will benefit your growth and development. As your financial situation improves, you will carry these lessons with you and continue to make sound decisions on spending and saving.

One of the main reasons you should build an emergency fund for unexpected situations is to avoid impulsively taking out loans or other debts when funds are needed. Not all debt is bad, of course. There are both good and bad types of debt, and proper debt management is essential to your overall financial success.

In the next chapter, you will read all about wisely managing your debt and aligning this with your life goals.

4

DEBT MANAGEMENT

Any discussion of finances and smart money choices will not be complete without any mention of proper debt management. Simply put, debt management refers to different methods used to keep debt under control and eventually repay them in full so that you can experience freedom. In most cases, you will need to create a structured and comprehensive debt management plan based on your current budget, situation, and needs.

Why is debt management an essential aspect of financial planning and budgeting? This plan helps you to identify why you have certain debts, how to keep them under control, and how best to pay them off within the most realistic time. In today's society, incurring debt has become too easy. This can be an advantage concerning access to different products and services. Debt overload is also a colossal risk. If you take on too much debt, it can overwhelm your ability to pay your creditors on time, thus compounding the problem.

First, let's look at the difference between good debt and bad debt. In your short-term and long-term financial goals, taking on some forms of debt is often necessary to help you generate more income and increase your net worth. This can be considered good debt because it can potentially improve your financial situation in the long run. Some examples of good debt would be education-related or student loans, borrowing capital for starting a business or taking out a mortgage or other real estate loan.

If you are borrowing money to buy an asset that will depreciate in value, this is considered a bad debt. When you are taking on debt for something that will not increase in value or generate more revenue, think twice about it because it is a bad debt on your part. Some examples of this would be a car loan, using your credit card for clothes and consumable purchases, or borrowing from a lender so you can go on a luxury cruise or extended vacation.

Perhaps the most commonly used debt instruments used by most people today are **credit cards.** As a form of payment, credit cards make purchases faster and more convenient. Today, the vast majority of establishments, service providers, and online retailers accept credit card payments. It is important to remember that using a credit card is neither good nor bad. But how you control your credit card usage and align it with your spending goals and long-term financial objectives will determine if using these cards is a boon or a bane to you.

You should watch out for several warning signs when using your credit cards for purchases. If you are relying on your credit to create ongoing cash flow and buy things you otherwise cannot afford, this is a red flag that can pile up and create enormous problems for you down the line. Sound financial decision-making means living within your means, so if you are swiping your card to make purchases beyond your means, this can snowball into an uncontrollable situation sooner or later.

Also, if you are not aware of how much you are charging to your card monthly, this is another danger sign that should not be ignored. Smart money habits require that you take account of every purchase down to the last dollar. But if you are recklessly buying things using your credit card without proper accounting, the accumulated debt may soon overwhelm you and derail you from achieving financial stability.

Another inherent danger of credit cards you should avoid as a young adult is charging more than you are paying monthly. When you receive your statement each month, you will be tempted to pay only the minimum payment due. This amount is small and relatively manageable and may lull you into a false sense of security because the payments are still easy to keep up with. So you pay the minimum amount and keep racking up your bill without realizing how much deeper into debt you are sinking as time passes.

Then, you may decide to use one credit card to pay another creditor or take a cash advance to cover a larger balance. This is yet another unwise temptation with using credit cards. Over time, the payments become bigger and harder to keep up with. The next thing you know, you will skip payments on some of your credit cards and focus on others. Stalling payments to focus on other debts is a highly stressful situation to find yourself in, and unfortunately, many credit card users fall into this cycle.

For many living paycheck to paycheck, credit cards offer a quick respite or source of funds when cash is short. Instead of an emergency or savings fund, using credit cards for major expenses, repairs, hospital bills, and other occasional expenditures may seem wise at that time. But the interest rates, fees, penalties, and other consequences soon catch up, revealing the hidden danger of overreliance on credit cards for emergency expenses.

While you are a teenager or a young adult, you should be fully aware of the risks of improper credit card usage. Save yourself from the stress and heartache that so many others have experienced from overwhelming credit card debt. How you use your credit cards should reflect your overall goals for smart financial habits.

Make it your goal to pay your full balances every month and avoid unnecessary spending. If you don't have the cash for a purchase yet, think long and hard before getting it on credit.

Now, if you have already accumulated some credit card debt, it is not too late to take control of this bad debt and regain your footing. Make credit card repayment one of your priorities in your financial planning. Use your expense tracking tools to monitor each purchase and clear off as much of your debt as possible while you are still young. In short, your cards should be tools for credit rather than instruments of debt.

Student loans are another form of debt that many Americans have to contend with. The cost of a college education in the U.S. has risen dramatically over the years. Even with subsidies, grants, scholarships, and other forms of financial aid, going to college equals thousands of dollars in student loans one has to pay for many years after graduating.

Most financial advisors will label student loans as good debt. This is because a student loan can become your key to bigger financial returns in the future. If you consider a student loan as an investment, the returns will be a good-paying job and better opportunities in your chosen career or industry. Generally, holders of college degrees are offered higher-paying jobs, so taking out a student loan to fund your education does seem like a good debt to take on.

That said, student loans should ideally be a last resort for students. If you do not have any other funds to draw from, such as a college education plan from your parents, then your recourse will be to borrow money to fund your education. But advisers will also caution against overborrowing. A good practice is to only borrow equal to or less than what you can expect to earn in your first year of working post-graduation.

You can keep your level of student loans down by opting to work part-time during your college years. Many colleges and universities offer on-campus job opportunities as well as partnerships with area employers. If you can work while studying, you can limit the amount of debt you will take on. This will also teach you the value of time management and financial accountability and prepare you for the real world after graduating.

Before enrolling, you may want to look into subsidies, grants, financial aids, or scholarships you qualify for. This is worth looking into, especially if you had a stellar academic and extracurricular record in high school or if your family's income level qualifies for various grants. Financial assistance from these sources can also reduce the loans you need to take out to finance your college degree.

Another option that many individuals choose is enrolling in a smaller community or junior college during the first one or two years of their course and then transferring to a larger college or university of their choice before graduating. Smaller colleges are typically more affordable compared to their larger, more well-known counterparts. Also, if you attend a community or junior college near your residence, you will save a lot on accommodation and other expenses related to living on campus.

Yet another common form of debt taken on by young adults is a **car loan.** A car loan is considered a bad debt because the vehicle depreciates in value over time. That said, you need a car to take you to your workplace or for your errands, especially if public transportation is unreliable where you live. This leaves a dilemma that you have to face. Should you borrow money to be able to afford a car?

When you take out a car loan, there is an additional cost beyond the retail cost. You will also be paying interest on the payments, all while the value of the vehicle you bought is decreasing quickly. Also, most car loans are quite lengthy, with an average loan term of almost seven years. This means more interest accrued and a higher likelihood that you will owe more on the car loan than the car's value (or being upside down on the loan).

Ideally, if you can limit the loan term to three or four years, then you will pay less interest and other fees. But your monthly payments will also be higher, and if your income is still limited, this might not be a feasible option for you. Of course, the credit risk will be minimized if you can pay off the car loan faster, but the reality is that many people simply cannot afford the higher monthly payments.

So what can you do? If you are still paying for a car loan now or have just finished paying it off, do not be in a hurry to finance another new multiyear loan. Instead, save up for your next car by opening a savings account specifically for your next purchase. Then contribute an amount that you can comfortably pay monthly to that account. If you have no car loan at the moment, then find out how much the average payment will be for the car you want and save it in your vehicle savings fund.

Then, after about three years, you should have enough saved to purchase that car in used condition. You can choose a vehicle that has less than 50,000 miles and is in great condition, but its cost will now be much less than when it was brand-new. You can pay for it in cash or trade in your old car, so you will need to shell out less cash. This method lets you purchase a vehicle in good condition without the burden of a lengthy car loan.

WHAT TO DO IF IN SERIOUS DEBT

Being in serious debt is not exclusive to older adults. Even younger people can fall into the problem of overwhelming debt. If you are in this situation now, then you already know how stressful and difficult this predicament can be. Even trying to think of a plan to significantly reduce your debt can be overwhelming. But fortunately, there is a way out of debt.

Aside from the options already mentioned in previous chapters about evaluating your income and expenses, tracking your purchases, and clearing off debt, there are other options you can consider. Remember, you do not have to live with the debilitating effect of financial anxiety or stress all your life. You can take action today and eventually find freedom from this entanglement.

It may be very helpful for you to seek the help of professionals who can help get you out of serious debt. Look for credit counselors in your area who can help manage your finances, discuss your options, and motivate you to reduce your debt and make better decisions. These counselors can help create a financial plan for you and also suggest smart money habits. Many nonprofit credit counseling agencies offer their services for free or very minimal cost.

One helpful way a professional credit counselor can help to lessen your financial stress is to create a debt repayment plan based on your needs and situation. This typically means you will combine all of your debt obligations into just one monthly payment. This payment is given to the credit counseling agency you are working with, which then pays your creditors. Your counselor will contact your creditors on your behalf and propose the payment terms.

Having a professional credit counselor negotiate with your lenders on your behalf can ensure you get the best repayment terms possible. However, if the debt has become too big and negotiations with lenders for repayment are no longer feasible, a debt settlement may be the next best option. This settlement means you will negotiate a final settlement amount with your creditors rather than the full amount. Most lenders would rather do this instead of having the entire loan written off.

However, you need to be mindful of how these loan restructures, consolidations, and settlements can affect your credit history. While your credit rating may already suffer if you have many missed or defaulted payments, these debt negotiations can add further to the negative impact on your credit. So if you can still negotiate a repayment plan with your creditors, explore those options first.

Hopefully, you will soon find a way out of the debt situation and experience relief from the anxiety and stress caused by this problem. In any case, take the important lessons you can from this experience and use them to map out a better and more financially sound future that will bring you the abundance you deserve.

In the next few pages, you will read all about another component of financial stability and independence: investing! There are investment options you would be interested in learning all about, and in the next chapter, you can find out all about where you can invest and grow your wealth.

WHO'S IN CHARGE – YOU OR YOUR MONEY?

"Money is only a tool. It will take you wherever you wish, but it will not replace you as the driver."

— AYN RAND

A study published by Capital One and The Decision Lab found that 58% of respondents felt that their financial situation controlled their lives.

This is entirely the wrong way around, and by improving your financial literacy and putting measures in place at a young age, you are well on the way to making sure this doesn't happen to you.

The goal is for your finances to support your life so you can focus on living it. You should be in control... not your money (or lack thereof). When you have smart money habits in place, you can concentrate on doing the things that make you happy – and building your finances along the way.

I wrote this book because I'm well aware of the gaps in the financial knowledge of many young people. I'm confident that when those gaps are filled, people can develop the skills they need to make their money work for them rather than be a source of worry or frustration. And I want to spread this information far and wide so I can help as many people as possible.

And to do that, I'm going to need to ask for your help... But don't worry – it requires nothing more than a few minutes of your time and a few brief sentences.

By leaving a review of this book on Amazon, you'll show other people where they can find the information they're missing to feel confident about their finances and build a secure future.

Simply by letting other readers know how this book has helped you and what they'll find inside, you'll help more people find what they need to develop these crucial skills.

Thank you for your support. Financial literacy is something we should all have access to – and with your help, I can make sure more people do.

Scan the QR code to leave a review!

5

INVESTING

F inancially successful people have figured out the real secret to a secure future, and that is through smart investing. Managing your finances and having savings are important components, but for building wealth and being ready for whatever challenges may lie ahead, investments play a more significant role. They ensure that your money continues to grow exponentially, no matter what the overall economic outlook may be, and that you have multiple income streams while you are working and even during retirement.

Many people think they can rely on their well-paying job, promotions or salary increases to maintain their financial stability, but this is not the case. You may have a stable job at the moment, but your current income may not sustain you in the future. This is because of inflation, or the changes in the average cost of goods such as food, fuel, and other essential items. At the moment, inflation has spiked quickly, forcing many households to rethink their budgeting and expenses more seriously.

The stark reality is that current wages and salary increases cannot keep up with inflation. For example, what you may buy for $100 at the grocery store today will be significantly less in two years. Ideally, your salary would have also gone up to compensate for the market inflation, but wage increases have been slower in comparison. This causes personal budgets to be stretched to the limit, and you would be wise to find a way to hedge yourself financially against inflation and its impact.

Sound investments make your money work for you. They give you the opportunity to build your wealth at a faster rate but without disrupting your work-life balance or taking away more time from your other responsibilities. If you have the right investments in place, your money will continue to grow even while you are off the clock, so you are not limited to the salary you earn with your nine-to-five job.

When you invest, you purchase goods or assets explicitly designed to generate income and appreciate in value over time. Investments have one goal in mind: future wealth. This wealth may be used for your future goals or to help you through emergencies or major expenses. Investments grow your money at a rate that protects you from the inflation rate, leveraging the power of compounding interest to your advantage.

It is highly important to start investing while you are a teenager or a young adult. Your relatively younger age should work to your advantage, so strike while the iron is hot and look for the best investment opportunities while you can earn money. No matter what your wealth creation goals may be, the right investments can certainly take you to the finish line and build your account.

Depending on what stage you are in your life journey, your priorities for wealth creation may be to pay off your debt, buy a home, save up for your children's college education, start your own business, or live comfortably during retirement. If you invest early on, you have a better chance of reaching these goals within a shorter period compared to if you just save your money in a traditional savings account. Investments speed up your wealth-building rate as your assets also increase in value.

Keep in mind that building your wealth benefits not only you personally but also your children's future. As you master the art of investing and wealth creation, you will also be capable of leaving behind generational wealth for your children and their families too. If you are not planning on having kids, the financial stability you can achieve through investing can allow you to help other family members, loved ones, or community members who are in need.

Staying ahead of inflation and strengthening your financial footing should also motivate you to invest your money. As already mentioned, prices of everything continue to go up as time goes by, which means your spending power will decrease. When the cost of living goes up, but your income cannot keep up with the pace, your lifestyle takes a hit. But you can create a financial hedge by investing your money and ensuring that your money's worth will keep rising.

Of course, retirement is another reason to invest while you are younger. You should maximize the principle of compound interest, or the interest earned on your invested money, besides the money earned in each earlier period. Compound interest, also known as "interest on interest," grows your money faster so you can bridge the gap between the amount you need to save and what you will need to live off for two or three decades.

SAVINGS ACCOUNT

A savings account is the simplest form of investment for your money. It may not be as glamorous or high-yield as other types of investment, but the idea is the same: you put aside money for future use. When done right, a savings account can help with your wealth creation goals without the higher risk and lack of accessibility that comes with other investment products.

When it comes to returns, a savings account will have lower compounding interest, typically even lower than the inflation rate. This is why it is recommended that you opt for a wide range of investment options so you can beat inflation and grow your wealth at a faster pace. But the ever-liquid savings account is your best bet for emergency funds and other needs requiring quick access to cash. Also, even a very low-interest rate is better than nothing, so your money is still gaining some traction even when sitting in a low-yield savings account.

Another advantage of savings accounts is their safety. In the United States, the Federal Deposit Insurance Corporation (FDIC) automatically insures the money in your savings account up to $250,000. Similar entities insure deposits in other countries up to a predetermined amount. This assures you that the money in your savings account will be safe if your bank closes for some reason. In case your bank goes out of business, you will receive a payout equal to your deposit, or your money can be transferred to another financial institution.

Savings accounts also come with very low risk compared to most other investment products. There is no risk of your savings deposit losing money or decreasing in value. It is not dependent on prevailing market conditions, so your balance will only increase unless you make withdrawals. In stark contrast to this, other investments, such as stocks or bonds, may increase or decrease in value based on the market. Humble as they seem, savings accounts are quite resilient versus volatility.

Accessibility to the funds is another upside of maintaining a savings account as part of your smart money habits. Savings accounts may be accessed via online transfers or ATMs, so when you need the cash right away, there's no need to go through a lot of procedures. This highly liquid characteristic is not true for most investment products, which can take some time to sell or convert to cash.

You need to note any withdrawal limits on your savings account, as well as fees that are tacked on by the bank when you exceed a certain number of monthly withdrawals. Still, your savings account is the best type of emergency stash for unplanned expenses, even though the returns are quite small. Currently, the national average return for savings accounts in the U.S. is 0.06% annually. The best rate you can probably get for high-yield savings accounts is around 0.5%. Then again, it's the reliability and accessibility you are looking for with savings accounts, so they are still worth keeping around.

Also, if your budget is limited, opening a savings account may be the best type of initial investment to start with because of the smaller upfront requirement. Most banks require a very minimal initial deposit to open a savings account and have very low minimum balance requirements as well. Many other investment types require a significant amount of initial investment, so you may have to wait a little longer before being able to start. With the limited funds you have now, a savings account is your best option.

BOND FUNDS

One of the most efficient forms of investment is through bonds. Bonds are fixed-income instruments from loans made by an investor to a corporate or government borrower. When companies, municipalities, states, or national governments need to raise funds for projects or operations, they may issue bonds that can be bought by investors. The bond serves as an I.O.U. between the borrower and the lender, including the loan details and repayment schedule.

Within the bond details, there is an end date showing when the loan's principal will be paid to the bond owner. The details will also typically include the terms for fixed or variable interest payments from the borrower. The prices of bonds are directly related to prevailing interest rates, which means that when rates change, bond prices are affected inversely.

Where are these bonds used? For governments, bonds are used to finance the construction of roads, dams, schools, and other public infrastructure. Corporate entities, meanwhile, issue bonds when they need to expand their business operations, purchase properties or equipment, start large-scale projects, or for research and development purposes. They depend on bonds when the money that can be borrowed from banks is not enough for their needs.

If you invest in bonds, you become the lender to corporate or government borrowers. You may also sell these bonds to other investors or buy bonds from other investors. In addition, you may opt for bond funds which allow you to combine your money with other investors. Bond mutual funds pool the investors' money, and then a professional will invest that money in the best investing opportunities.

There are bond funds that invest in a wide range of short- and long-term bonds from different issuers. Other bond funds target a specific segment of the bond market, for instance, short-term Treasury funds or corporate high-yield funds. In both cases, bond funds will channel your investment into different securities to diversify your financial portfolio.

This diversification is one of the key advantages of investing in bond funds. Because a typical bond fund holds several individual bonds with different maturities, there is less risk, and greater diversification is achieved. In the case of one bond not performing as expected, the impact will be minimized because other bonds are balancing out the investment. Also, your investment is being handled by professional portfolio managers who can use their technological tools and expertise to choose which bonds make the most investment sense.

Bond funds are also characterized by their liquidity and accessibility. You can buy or sell your fund shares daily, automatically reinvest any income dividends or add to your existing investments at any time. If you are looking for an investment with a stable income stream, bonds are an excellent option because they generally pay a regular monthly income. Again, you can opt to either receive the returns or reinvest them automatically.

Of course, bond funds also come with a certain level of risk, just like any other investment product. The prices are affected by the fluctuation in interest rates, so you can expect bond prices to rise or fall as interest rates change. An increase in interest rates causes a decline in bond prices and vice versa. Also, the longer the bond's maturity period, the higher its interest rate risk will be. Thus, the net asset value (NAV) of bond funds with longer average maturity will be more affected by interest rate changes, and monthly income distributions will be affected.

With credit risk, bond funds are either categorized as investment-grade or below-investment-grade quality. Third-party rating agencies such as Standard & Poor's or Moody's will determine the creditworthiness of each issuer. This is important to understand because if a certain bond fund invests in below-investment-grade quality bonds, they also typically have higher yields because of the greater risk.

You also have to be aware of the principal risk of the bond fund. When you sell your shares in a fund, you will receive the current NAV of that fund or the value of all its holdings divided by the number of fund shares. Now, if the NAV is lower when you sell your shares compared to when you first purchased, you stand to lose part or all of your investment.

Other risks that typically come with bond investments are minimized when you invest in a bond fund, including call risk and default risk. This is because the bond fund is composed of more than one type of bond, so the effect of any defaults or call away before maturity will be lesser than if you were investing in an individual bond. Still, these are risks you should be aware of when investing in the bond market.

STOCK FUNDS

Many people automatically think of stocks when the subject of investing comes up. Stocks are also commonly called equities, and these are securities that allow you to invest in publicly traded companies. Units of stock are referred to as shares, and if you purchase shares in a corporation, you are entitled to a percentage of the entity's assets and profits—proportional to how much stock ownership you hold.

Stock exchanges are the primary platform for buying and selling these securities. Many individual investors have several stocks in their financial portfolios. Apart from individual stock investments, you may opt to invest in stock funds or equity funds instead. A typical stock fund will have a wide range of equities based on the objectives, strategies, or policies of that fund. For instance, there are stock funds that focus on new companies, while others go for established blue-chip corporations with reliable dividends. Meanwhile, index funds will channel companies' investments within a specific market index.

As an individual investor, you will benefit from the diversification that comes with these stock mutual funds. When you put money in a stock fund, you essentially become an investor in multiple individual stocks, sometimes even in the hundreds. This diversifies your portfolio and lessens the risk associated with buying stock in just one company. You spread out your investment and benefit from the performance of more than one publicly traded company.

Just like with bond funds, there are professional money managers who are in charge of stock funds. Their expertise and technological tools will ensure that your investment is being properly channeled toward holdings that can potentially bring the highest yields. This is another advantage for you because you no longer need to invest too much personal time and effort into monitoring your investments and their performance.

The process of investing and withdrawing is also simplified when you opt for a stock fund. Many stock mutual fund companies make use of a Systematic Investment Plan, which debits the money directly from your designated bank account for investment into the stock fund. You can set up automatic monthly investments, usually with little to no transaction charge, so investing in the stock fund is simplified.

On the downside, investing your money in a stock fund allows you to take part, but you do not own any of the individual stocks. This is in contrast to investing directly in the company's shares. So if you are interested in owning shares in a specific company and also want the voting rights that come along with it, then you should buy stock directly. Otherwise, investing in a stock fund turns over control to your money manager.

Another disadvantage of investing in a stock fund is the additional management costs and other fees. Stock funds often have load fees tacked on to each purchase or sale, and the costs can add up, especially if turnover is high. Many stock mutual funds also subtract a percentage of assets from the fund returns, besides other management costs.

Many beginner investors find the sheer number of stock fund options to be quite overwhelming, which is understandable. Once you decide to invest in a stock mutual fund, you will soon discover the myriad of choices that are out there, each with its own mix of equities and specific goals. The variety can make it even more difficult to choose compared to just investing in individual stock options. At best, you should be prepared to set aside considerable time and effort into selecting which stock funds are best for your needs.

A common question I hear from potential investors is whether stock mutual funds are a better option compared to individual stocks. While mutual funds certainly have the advantage of convenience, diversification, and lower risk, owning individual stocks offers the potential for higher returns. So your overall goals and long-term financial objectives should determine whether you will focus more on stock funds or individual equities. In any case, it would not hurt your financial portfolio to have both.

MONEY MARKET FUNDS

Your investing strategy may also benefit from a money market fund. This investment product is a type of mutual fund focused on very liquid and near-term instruments, such as cash, cash equivalent securities, or high-quality debt securities with short-term maturity periods. The aim of money market funds is to yield low-risk and highly liquid returns to investors, and this investment is sponsored or managed by an investment fund company.

A money market fund functions similarly to a mutual fund. There are units or shares that are fully redeemable and issued to investors. Investments that are usually included in a money market fund include such debt instruments like certificates of deposit, bankers' acceptances (short-term debts guaranteed by commercial banks), U.S. Treasuries, repurchase agreements (another type of short-term government securities), and commercial paper (or short-term unsecured corporate debt).

Money market funds are subject to the financial regulations of the Securities and Exchange Commission and other regulatory agencies. Meanwhile, the returns from money market instruments are based on prevailing market interest rates. Depending on its invested assets, maturity period, and other factors, a money market fund may be classified as:

- *Prime Money Fund*

This type of money market fund primarily channels investments into corporate and government debt, commercial paper, and assets.

- *Government Money Fund*

When 99.5% of a fund's total assets are invested in government securities, cash, and repurchased assets, it is classified as a government money fund.

- *Treasury Fund*

This type of money market fund focuses on standard debt securities issued by the U.S. Treasury, including Treasury notes, Treasury bills, and Treasury bonds.

- *Tax-Exempt Money Fund*

Earnings from this type of money market fund are exempted from U.S. federal income taxes and, in certain cases, state income taxes. Debt securities included here are mostly municipal bonds and debt securities.

There are several advantages touted by promoters of money market funds, including their highly secure and liquid characteristics. Investors can invest in these debt-based and cash-equivalent instruments with relatively smaller amounts of capital. Also, investors can look forward to lower risks when investing in money market funds, although the returns are also lower compared to other investment options.

It is noteworthy that money market funds offer lower capital appreciation in the long run, so they are not the foremost option for wealth building. If you are aiming for retirement planning and other long-term financial objectives, money market funds are not the best option. The major advantage of money market funds is for getting returns for short-term goals, as well as for getting quick returns in a highly liquid account.

Another downside to money market funds is that they are not covered by the federal deposit insurance of the FDIC. So while they offer better yields than traditional savings accounts, you should be careful about parking sizeable sums of money in a money market fund for a very long period. A great way to use this investment option is to set aside a certain amount until you can find a more suitable high-yield investment option, such as securities or certificates of deposit.

CRYPTOCURRENCIES

The digital age has revolutionized much of daily life in today's society, and this transformation has greatly impacted financial transactions. Aside from the rise of online banking, digital payment applications, and e-commerce, the digital revolution has also paved the way for virtual currencies, also commonly known as cryptocurrencies.

Cryptocurrencies are any of the various types of currency that exist purely in digital or virtual form and use cryptography to secure their transactions. One glaring difference between cryptocurrencies and traditional or fiat currencies is that they are neither issued nor regulated by government authorities. Instead, they rely on a decentralized system known as blockchain technology in order to issue new currency units and facilitate, as well as record, transactions.

In recent years, cryptocurrencies have been touted as a worthy alternative to the usual financial channels relying on banks for transaction verification. The digital payment system facilitated by cryptocurrency opens up payment sending and receiving to virtually anyone in any location using a complex peer-to-peer system in an online database. Cryptocurrencies are then stored in digital wallets, while transactions are saved in a public ledger.

Bitcoin was the very first cryptocurrency that came out. Other notable cryptocurrencies to date include Ethereum, Litecoin, and Ripple. Proponents of these virtual currencies are priming them not only for future trading in stocks, bonds, and other financial assets but also for daily applications and consumer payments. Currently, cryptocurrency may be bought from cryptocurrency exchanges or traditional online brokers.

If you are interested in cryptocurrency investing, a growing number of financial brokerages already include cryptocurrency alongside their other financial assets. Cryptocurrency exchanges, meanwhile, function much the same as other financial institutions, with wallet storage, interest-yielding accounts, withdrawals, and associated fees based on the assets. PayPal, Venmo, and other online payment services now also offer the ability to purchase, sell, or hold cryptocurrencies.

Cryptocurrencies are now being used as investment instruments via Bitcoin trusts, Bitcoin mutual funds, and blockchain stocks or exchange-traded funds (ETFs). These options give you the opportunity to include virtual currencies in your portfolio based on your financial goals and investment risk level.

Compared to other investment types, cryptocurrency investing is still relatively new. Much of the intricacies and legal ramifications surrounding cryptocurrencies are still being hashed out around the world. Also, you should know that although the blockchain technology used by cryptocurrencies is secure, there are still different scams and fraudulent activities targeting these virtual assets.

Specifically, you need to be on heightened alert against bogus websites that lure crypto investors, Ponzi schemes that fool investors with promises of high returns, and other scams revolving around the trade or investment of cryptocurrencies. In recent times, hackers have also been able to successfully target several cryptocurrency start-ups.

As a form of investment, these virtual currencies are quite high risk and volatile because they are affected wholly by supply and demand. This usually causes wild fluctuations in cryptocurrency prices and market values, and these swings can mean either significant yields or big losses for investors. Also, there is less regulatory protection for cryptocurrency investments compared to other investment products—at least for now. So when eyeing them as part of your financial objectives, consult with a trusted advisor before deciding on crypto investing.

INVESTMENT FOR RETIREMENT

A key element of your smart money habits, regardless of your age, should be retirement planning. If you are currently a teenager or young adult, you have a leg up because you can align your financial goals earlier and increase your likelihood of having enough retirement savings to live comfortably. Even if you have Social Security, you cannot expect to rely only on those benefits once you retire from the workforce. More likely than not, the benefits you will receive from Social Security will not be enough to maintain your standard of living or even be enough for your living expenses.

Below are the different retirement plans to include in your portfolio so you will have a stable financial situation once you reach your golden years:

- *Traditional Individual Retirement Account (IRA)*

Even if your employer offers a sponsored retirement plan or not, such as a 401(k), you may opt to set aside additional retirement money via an IRA. Anyone earning taxable income is eligible to open a traditional IRA. These contributions are then invested in mutual funds, ETFs, and other assets. Earnings are tax-deferred until your withdrawals at age 59½, after which ordinary income taxes are applied.

- *Roth IRA*

Another option is a Roth IRA, especially if your income is limited. Taxes are applied upfront, but withdrawals, once you retire, will no longer have any taxes. Early withdrawals from a Roth IRA are penalty free, so if ever you need additional funds, you can dip into this stash. You should know the income limitations for Roth IRA eligibility (annual income less than $144,000). The yearly contribution limit is $6,500 as of 2023, the same as that of a traditional IRA.

- *Spousal IRA*

If you are already married or planning to get married soon, you might double your retirement savings by opening a joint IRA. This is an excellent option if you or your spouse earns less income or does not work at all. One spouse can open an IRA (either Roth or traditional) under their name, with contributions based on their household income. This doubles spousal IRA savings annually.

- *Fixed Annuities*

Among the many kinds of annuities on the market today, fixed annuities are the best option for supplementing one's retirement plans. These annuities are simple to understand, have predictable benefits, tax-deferred accumulation, and death benefits for beneficiaries. Also, there are no contribution limits for fixed annuities.

- *Traditional 401(k)*

This employer-sponsored plan allows you to contribute pretax dollars, and many employers even offer to match your contributions to a certain extent. The minimum eligibility age to take part in a 401(k) plan is twenty-one years old, and the annual contribution limit is $22,500 for 2023.

- *Roth 401(k)*

The eligibility and contribution limits for a Roth 401(k) are the same as that of a traditional IRA, but the fundamental difference is when the taxes will be applied. Contributions to a Roth 401(k) are levied taxes upfront, but withdrawals you make after you retire will no longer be subject to income tax.

- *403(b) Plan*

You may be eligible for this retirement plan if you are employed in a public school or a nonprofit entity.

Contributions are pretax and will accumulate until retirement, after which the withdrawals are taxable as income. Contribution limits for a 403(b) are identical to 401(k) plans.

- *457(b) Plan*

Meanwhile, those who work for a state or local government unit may be eligible for a 457(b) retirement plan. Contributions are tax-deferred until withdrawn in retirement unless you choose a Roth 457(b). Contribution limits are also the same as those of 401(k) plans.

- *Thrift Savings Plan*

If you work for the federal government or the uniformed services, you may contribute to a Thrift Savings Plan or TSP. TSPs function largely the same as 401(k) plans, allowing you to make pretax contributions and grow your savings tax-deferred until retirement. There are both traditional and Roth TSPs, and the contribution ceilings are the same as corporate 401(k) limits.

- *Pension Plans*

Pension plans are the common name for defined benefit plans. These used to be offered more extensively by many companies but have become less common in recent times. A study by Willis Towers Watson found that as of 2019, only 14% of Fortune 500 companies still offer pension plans to new employees. With this setup, employees are entitled to fixed benefits once they reach their retirement age, giving them a reliable source of retirement income, regardless of market conditions. Most companies, however, are now opting for other plans, such as 401(k).

WORKING WITH FINANCIAL ADVISORS

If you look at the number of investment options to consider, it is easy to get overwhelmed just by the sheer idea of sifting through the information and selecting the best option. It is not just the ton of information and research required. Many individuals simply do not have the time or patience to take care of the nitty-gritty details of financial planning, so they need someone who is well versed and impartial to help them out.

Working with a financial advisor would be beneficial if you are not as skilled or meticulous with money matters. A financial advisor provides professional help for taking care of your expenses, mapping out your financial goals, and guiding you into making the smartest decisions based on your long-term objectives.

Now, if you are still young and your financial situation is still relatively manageable, you may still handle money matters on your own. But suppose you are already older and dealing with different responsibilities while trying to maximize your income for all of your expenses. You may already be trying to juggle paying your student loans and other debts, building your emergency fund, saving up for retirement, paying for a mortgage, setting aside money for college, and trying to provide for your family's daily needs—all at the same time. This can get overwhelming on your own!

A financial advisor can be a big help in planning your financial future and figuring out which of one's goals should be prioritized. Even if you have to shell out money for consultation fees, management costs, and other payments for a professional financial advisor, the help and guidance you will get makes the price tag worth it. So if you are already overwhelmed with all the money-related goals you are trying to maintain, a financial advisor is a good investment.

In reality, some people are just not that skillful in handling money matters. If you are in this boat, realize that this is not an indictment of your personal skills or desire to make sound financial decisions. It just means that financial planning is not your strongest suit, and hiring a financial advisor is the best way to ensure that your money goals are in order.

However, you need to know that most financial advisors can only work with you if you already have a certain amount of investable assets. The majority of them can only take you on as a client if you have at least $100,000 worth of investments. A smaller number of advisors can work with you if you have less, though, so you will need to find a financial advisor who can work with what you have.

Also, the desire to get an impartial and unemotional opinion from a reliable third party regarding your finances is another reason to hire an advisor. Whether you are a beginner in financial planning or have been doing this for quite some time now, you will always be susceptible to irrational or emotional decisions, so the advice of an unbiased third-party advisor may prevent you from making a potentially poor decision. Again, the cost associated with hiring a financial advisor may be negligible if you compare it to the potentially more significant losses if you make a poor investment decision.

ASSESS YOUR RISK TOLERANCE

As you navigate the world of investing, you will realize firsthand that all kinds of investments come with a certain degree of risk. Risk means uncertainty or possible financial loss that comes with each investment choice. When you take on a higher risk, this generally means higher potential returns as well. But the higher risk also comes with a more significant loss should the investment fail.

In your role as an investor, you must equip yourself with a proper understanding of what risks you are facing with each investment. For instance, when you invest in stocks or bonds, the returns you can expect to receive hinge on whether the company stays in business. Stocks make you a shareholder of a certain part of the publicly traded company, while bonds essentially mean you are loaning to that entity. So if the company goes under, you stand to lose part or all of your investment.

Volatility is another inherent risk of investments. There are market fluctuations that happen because of various factors beyond your control. You should not be surprised to see stock prices or asset values go up or down depending on prevailing market conditions. This risk of volatility makes it even more crucial to diversify your investments so you can minimize the risk and lessen the impact on your portfolio.

Inflation risk is another reality you will face as you weigh your financial choices. Inflation affects your purchasing power, and this applies not only to consumer goods and services but to investments as well. Aside from affecting how much you can invest, inflation can also erode the yields you will receive for investments, especially cash equivalents.

A key aspect of the investment game is liquidity, or how quickly you can find a market for buying or selling securities and assets. Liquidity risk, or the difficulty in finding a market for what you would like to buy or sell. The more complicated investment products have a higher liquidity risk compared to those that are simpler or have a higher demand. Investment products with penalties for liquidation or early withdrawal, like certificates of deposit, also have more liquidity risk.

What should ease your mind is the assurance that there are guarantees in place for investments as well. The Federal Deposit Insurance Corporation (FDIC) insures savings accounts, certificates of deposit, and money market accounts up to $250,000. Meanwhile, the Securities Investor Protection Corporation (SIPC) is a nongovernment institution that insures accounts in SIPC member firms up to $500,000 or a cash value of

$250,000. This protection for securities is put in place in case the member firm goes under.

Before making any major investment decisions, you should first assess your investment risk tolerance. This refers to how much risk you are comfortable taking with your investment products. You may not have control over how the markets will perform, but you do have the power to control how much of the risks you are willing to live with, ensuring they are aligned with your goals.

Your overall financial goals must be the primary consideration when determining your risk tolerance. This means carefully studying if your current income and expenses allow you to take on the amount of risk attached to the investments you are considering and whether this will benefit you in the long run. If you are a young adult, you can afford to take on moderate to high-risk investments that have potentially higher yields in the future because you still have time to recoup any losses. As you get older, however, being more financially conservative and taking on less investment risk is more advisable.

The time frame for your financial goals should also factor into the investment choices you make. As already explained, any type of funds you are building for emergency expenses should be kept in low-risk, high-liquidity investment pools. For long-term financial goals such as retirement, you can opt for higher risk with the promise of bigger returns and compounded wealth.

Here are a few specific questions to ask yourself when determining your investment risk tolerance:

- *What are my investment goals?*
- *What is the time horizon for my objectives?*
- *How comfortable am I with short-term losses?*
- *Do I have non-invested savings in liquid accounts?*
- *How much time can I set aside for tracking my investments?*

Perhaps one of the most significant investment decisions you will make in your life will revolve around whether to buy a house of your own. This all-important subject will be the focus of the next chapter.

6

HOUSE – BUY OR RENT?

One of the largest assets one can acquire is a house. While many young adults can have a nice lifestyle—paying their own bills and climbing up the corporate ladder—they often ask me whether they are better off buying their own house or renting. Whenever faced with this question, I usually lay out two key factors to consider in making this gigantic leap: finances and lifestyle. Let us look deeper into these two factors.

Many variables must be considered when making this decision. Financially speaking, **owning a property can give a sense of security**, especially for young adults. Buying your own home may strengthen your sense of stability because it anchors your long-term goals, more than just paying monthly rental fees. This also makes an individual 'financially mature' since purchasing a house requires a long-term commitment, proper managing of finances, and having ready cash for associated expenses.

On the other hand, **renting allows for greater mobility,** such as when changing employment, which is very common nowadays among young adults who are digital nomads or who would like to travel while working. This also alleviates the uncertainty associated with repairs and upkeep, as they are often the landlord's duty.

According to Freddie Mac's 2019 housing survey, nearly 40 percent of renters report they will probably never own a home—up from 23 percent two years ago—and 80 percent say renting is a better fit for their current lifestyle (Pinnegar, 2020). With the constant increase in mortgage payments, inflation, and higher prices on so many things, people see themselves as not owning a home.

Also, in a recent study also by Freddie Mac, ". . . one in three Gen Z adults (34%) say homeownership at any point seems out of reach financially" (Freddie Mac, 2022). That is where the second factor comes in. Lifestyle-wise, young adults consider home ownership and renting on an equal scale. However, Gen Z lifestyles support renting more as it suits them. Here are some reasons renting appeals to more people nowadays:

- **Efficiency and convenience in a fast-paced environment or community** – stability and security are what home ownership can offer. But if you are looking for a more efficient and convenient option, especially if your nature of work requires you to be on the move or you like living in different areas or places, renting might be the best for you.
- **Much more flexible terms of payment** – if you are just starting to build your career, or paying off your student loans and other debts, renting can help you determine the best way to manage your finances. Some rental properties require some advance payments for a month or two, while others have longer lease options.
- **Lighter payment options** – of course, owning a house costs more than renting, so if you want to test the waters first, it is best for you to choose to rent first, then decide later on if you will own a house.

HOW TO BUY A HOUSE AS A FIRST-TIME HOMEBUYER

Before we jump into the guidelines for purchasing your first house, let us look into some technical terminologies first. The U.S. Department of Housing and Urban Development (HUD) defined a first-time homebuyer as:

- An individual who has not owned a principal residence for three years. If you've owned a home, but your spouse has not, then you can purchase a place together as first-time homebuyers.
- A single parent who has only owned a home with a former spouse while married.
- A displaced homemaker who has only owned a home with a spouse.
- An individual who has only owned a principal residence not permanently affixed to a permanent foundation under applicable regulations.
- An individual who has only owned a property that did not comply with state, local, or model building codes—and that cannot be brought into compliance for less than the cost of constructing a permanent structure (Chen, 2022).

Once you have decided to purchase a home, it is crucial to study how you would buy it. Any first-time experience can be nerve-racking, but here is a simple guide to making your first-time home purchase as a smart young adult.

First, it would be best to assess your financial health. It is very easy nowadays to browse online, go to some groups or websites that sell houses, or look for someone who can build your dream home, but before you do this, check your personal financial health. Try to review your spending, expenses, income, and your savings. You can also check if you are eligible to take home loans you can commit to paying off.

Second, find the type of house that suits you. Whether it be a tiny house, duplex, townhouse, condominium, or shipping container home, take your time to think about what type of house fits you and your personality. Keep in mind that there are various advantages and disadvantages when purchasing your chosen type of house, and weigh the options you have for an optimal choice in reaching your goals.

Third, decide how much is your total home budget. The first two might be easy, but this is where smart financial planning comes in. Even though the initial preparation of assessing your financial health and properly researching the type of home you like may seem easy, do not forget to set a budget for your dream home. Banks can offer loans, and you can plan your budget then. Remember not just to loan for the total amount of the house but also take into consideration the other hidden charges, which we will discuss in the next section.

HIDDEN COSTS OF OWNING A HOME

A home may be a valued asset and a means to a more secure financial future. As promising as it may get, owning a home comes with a lot of responsibilities. Low mortgages can spark interest in homeownership, particularly among young people who are weary of watching their rent bills grow and who prefer equity in the property where they live. However, first-time buyers may be surprised by the financial toll homeownership may entail. Prepare for:

- *HOA or Condominium Fees* – These are the monthly fees collected by the homeowner's association your house or property is within. These fees are used for the development of your neighborhood, like snow plowing, garbage collection, public basketball court, security systems, additional parking space, a recreation area, etc. Condo units also have these fees for the utilities or other amenities they offer, such as swimming pools and gyms.
- *Homeowner's Insurance* – Bear in mind that once a bank or a mortgaging company issues you with a loan, premiums for insurance are included. This often rises annually, so be prepared. When taking

any insurance, always review the terms and the coverage of your policy.

- *Property Taxes* – This fee is determined mainly by the township or the city where your house is located. This is one of those top-ups you need to keep in your tab as it is around $500–$1,000 more a month.
- *Home Repairs* – Termites, molds, unexpected home damages, and other 'acts of God' that can affect your house must also be planned out of your budget. Setting aside 1% to 2% of your budget for maintenance and repairs will be best. Your allotment must also depend on the condition, size, and age of your house.

Aside from regular mortgage payments, the true cost of owning property includes several hidden charges. The first three hidden expenses are predictable and unavoidable.

After having an overview of whether to purchase your own house or rent for the meantime, perhaps one of the best things to consider is having yourself insured by getting a well-explained and carefully crafted insurance policy. We will find out more about it in the next chapter.

7

INSURANCE

Of course, having an emergency fund is not the only thing you need to think about when preparing for unforeseen situations that may arise in the future. There are other important things to add to your financial preparations, including getting a good life insurance policy. Even if you are still a young adult, you can start thinking about how your family (if you plan to start one) will be provided for when you pass away. If you already have kids, then adequate life insurance is even more important.

The general rule with insurance policies is that it's better to have one and not need it than to need it and not have one at all. Apart from life insurance, you should also look into having proper insurance coverage in other aspects of your life. Some types of insurance are mandated by law, like vehicle and driver's insurance. Others usually come as a benefit to your place of employment. Then there are insurance policies such as homeowner's or renter's insurance policies that protect your belongings.

There is a cost to maintaining different insurance policies for yourself but having this type of protection will be more beneficial for you in the long run. This is especially true for your health insurance coverage. A health insurance plan with low premiums may have higher deductibles and be insufficient to cover major medical expenses. You should choose a health insurance policy that fits your income capabilities but will also sufficiently cover costly healthcare bills.

It would also be wise to be aware of disaster risks in the area where you live and make the preparations. Natural calamities such as storms, floods, forest fires, tornados, and earthquakes pose risks to life and property, so you do not want to be caught unprepared. Consult with your insurance provider about coverage that adequately protects yourself, your loved ones, and your property in case of natural disasters.

Here are the essential insurance policies you should have as part of your smart money habits:

- *Health Insurance*

For many Americans, medical expenses and hospital bills are among the top most frequent reasons for financial hardship. This is a reality regardless of your age. Even if you are a young adult, it would be unwise to think that you are immune to medical bills. Even just a three-day stay at a hospital can set you back up to $30,000, and if you do not have any health insurance policy, this can be a disaster.

If you are employed, you may already have a health insurance plan through your employer. Look at exactly what type of health insurance is provided so you know what exactly is covered. If your employer does not offer health insurance, or if you are unemployed, you may check out the federal health insurance marketplace for various health insurance plans. Depending on your income and other eligibility criteria, you may qualify for several insurance subsidies.

- *Disability Insurance*

This type of insurance policy is not just for individuals working in high-risk professions. You should know that many types of disabilities are not even work-related. These would include back pain, diabetes, arthritis, cancer, and other ailments that cause you to be unable to work. When this situation arises, disability insurance will be one's fallback for supplementing your lost income. A good disability insurance policy should cover between 40% to 70% of your base income. It may not cover your entire salary's worth, but it is better than nothing.

Typically, you can get disability insurance by purchasing from a reliable insurance provider. Policies usually have a waiting period before coverage starts, and there is a cap on your monthly payouts. You should also check if your workplace offers any type of group disability insurance. This type of insurance will be a tremendous help when you need it and will supplement any Social Security disability benefits you qualify for.

- *Home Insurance*

If you are financing your home, your lender will require home insurance on the property. This protects their interest in case any unforeseen circumstances lead to damage or destruction in the home. That way, there will be funds for rebuilding or any repairs necessary. However, home insurance is not required by any state law. Different coverage types are included in home insurance policies, such as dwelling coverage (which protects the entire structure, typically equal to rebuilding costs) and personal property coverage (which insures your possessions in case of fire, theft, etc.).

Now, if you are renting an apartment, a condominium unit, or any other living space, a renter's insurance policy will be what you need. In case of any damages to the property's structure, your landlord's insurance policy will cover the cost. But you will be responsible for protecting your possessions such as furniture, electronics, etc. Renter's insurance will ensure that your belongings are protected in case of theft, fire, inclement weather, etc. Coverage types are usually identical to homeowner's insurance.

- *Auto Insurance*

Only the state of New Hampshire does not require auto insurance for drivers. This type of insurance is required by law and also protects you should you get in any type of vehicular accident, especially if you are at fault. While you are a teenager or young adult, you can expect your auto insurance costs to be higher than others. But if you maintain an excellent driving record, your auto insurance plans should become more affordable over the years.

Coverage types for auto insurance include liability coverage (this pays for property damage, injuries, and legal costs), personal injury protection, or comprehensive and collision coverage. If you are financing or leasing your car, you will be required to purchase comprehensive and collision coverage. This policy protects you in case of accidents, theft, damage from natural disasters, and other incidents that will require vehicle repairs or replacement.

- *Life Insurance*

A life insurance policy ensures that anyone who depends on you financially will be taken care of if you pass away unexpectedly. If you already have children or are planning to start a family soon, this insurance plan should certainly be included in your list. There are two main kinds of life insurance policies, the first one being term life insurance. This policy protects you for a set period, such as ten or twenty years, after which you can renew.

The other type is permanent life insurance, which guarantees lifelong coverage. Aside from the death benefit included, this policy has a cash value component. The cash value will accumulate as you pay for the policy, and then you can withdraw the funds or take a loan against it. Although more expensive, permanent life insurance is best for wealth creation because it can be an added source of liquid funds.

There are many other types of insurance policies out there, but they are not as important as the ones listed above. However, if you have the additional cash and your specific needs call for it, you may consider other policies that are available, such as guaranteed asset protection (GAP) insurance if you are financing or leasing a car, dent insurance, cell phone insurance, or mortgage life insurance.

How about cancer or other disease insurance? On the one hand, you should definitely have good health insurance coverage. But insurance policies that are disease-specific are not considered essential because your health issues when you get older may not even be those you purchased the plans for. Instead of this type of policy, you should just invest in a health insurance policy that is as comprehensive as possible.

Some insurance policies make sense while you are younger but may not be as important as you age. This would include disability insurance and life insurance. Once you are nearing or have reached retirement age, the number of years you are eligible to collect from after any illness or injury decreases, so disability insurance may not be a priority anymore. In the same way, unless you still have debts or dependents, continuing to pay for life insurance after your retirement may not be important anymore. These policies, however, should be in your portfolio while you are a younger adult.

Insurance coverage is a topic that can be quite complex to sort out all on your own, so reach out for help when needed. Your professional financial advisor or insurance broker will be happy to discuss your options and figure out how best to protect all aspects of your life and property.

8

I NEED MORE MONEY

Does it seem like you just have a hard time making ends meet even after carefully budgeting your expenses? Maybe you have already started adopting smart money habits, tracking your expenses, and accounting for every purchase so you can maximize your finances. But it just seems like you hardly have any amount left over at the end of the month. At this point, it may be time to get creative and find other sources of income.

Many individuals will try to supplement their current income by finding a second job or side gigs. But before you do this, take a closer look at your primary job and see if you are being paid what you are really worth. If you have worked in your current workplace for a few years, it may be time to negotiate a higher wage based on your skills and performance.

It is very important that you get paid for what you are worth. If you feel that your current salary is less than you deserve, then you should find the right time and opportunity to ask for a negotiation toward a raise. But there is an art to this process, and this will be a test of your persuasion and negotiation skills and your ability to reach a mutual solution with your employer.

Before asking for a salary negotiation meeting, prepare yourself with as much pertinent information as possible. You can go online and take some time to research the average salaries for your job, considering how long you have worked for your company and any performance reviews you already have. This gives you a clearer picture of what you are worth in the marketplace for added leverage during the negotiation process.

Now, if you are still fairly new or have just started working, you may not have a lot of leverage yet to ask for a raise. As long as you are being compensated fairly based on your background, skills, and time of service, you may have to be patient for now and wait some time before negotiating a raise. For now, your focus should be on proving that you are a valuable member of the team, so that when it comes time for a raise or promotion, you have the record to back it up.

You should also know your workplace policies regarding compensation. For instance, some employers are limited by various budget constraints and can only grant raises at specific times of the year. This is also an important piece of information to know because you can time your negotiation around a period when you know your employer can actually change your salary.

During the negotiation, be very clear and specific about the salary increase you are requesting. Also, be prepared to give the measurable justifications and reasons for your request for a raise, such as your achievements, performance appraisals, or length of service. Keep the meeting professional and rational; avoid being adversarial or too aggressive. Also, you should be flexible and not expect an answer right away. Your employer may have to think about your request for some time or review the request with other managers or Human Resource personnel before deciding.

What are some mistakes you should avoid when renegotiating your pay? First, do not accept their offer right away. Try to make a counteroffer first because you never know what answer you might get if you counter their initial offer. For instance, let us say you have been working with this company for two years now, and your research tells you that others in your position working elsewhere earn 15% more. So, you meet with your employer and ask for a 15% pay raise.

Then, your employer responds by offering you a raise of 10%. Your boss explains that this is all they can offer you because of changes in the annual budget. Instead of just accepting immediately, try to counteroffer by asking whether a compromise between 12% and 13% can be reached. Remember, this is still well within the actual salary range in your industry, and the additional amount may just be workable, even with the budget limitations.

Now, it is one thing to counteroffer and try to reach a compromise. But it is a completely different thing altogether to seem threatening or to issue an ultimatum. These should be avoided when you approach your employer for a salary raise. Remember that your goal in setting up this meeting is to have a mutually beneficial and collaborative discussion. A meeting of the minds cannot be achieved if you come across as angry or threatening. Be calm and collected but firm in what you believe you deserve.

You should not be afraid to make a few more counteroffers during the salary negotiation. In fact, most companies actually appreciate employees with good negotiation skills. Also, keep in mind that compensation is not limited to just the pay; other forms of compensation may come as performance bonuses, commissions, retirement contributions, company stock, paid time off, etc. Be flexible when accepting any offers they may have that compensate you in other ways.

SIDE HUSTLES YOU CAN CONSIDER

Side gigs, part-time jobs, and other additional sources of income are good to consider so you can supplement your current salary and save up more for your future. While you are a young adult, relatively stronger, and do not have too many responsibilities yet, you can maximize your time and opportunities and look for great ways to earn extra money on the side.

Now, it's not just the additional cash that can motivate you to earn from a side hustle. There is also the personal satisfaction you might get from doing something that you actually like to do. For instance, you may have a steady full-time job that pays the bills, but it may not necessarily be the job that really gives you personal happiness. How about turning your hobby or creative passion into something you can earn from?

Suppose you are working for an advertising agency as a copywriter. The pay is satisfactory, the benefits are fair, and you have a career path that can take you up the ladder if you work hard. But your ultimate passion is to be a writer. When you are not at work, you can pursue part-time writing gigs on freelancing websites or self-publishing platforms. These side gigs allow you to fulfill your creative pursuits and may even turn out to be lucrative secondary income sources. Who knows, they may even lead to bigger opportunities doing what you really wanted to do in the first place?

The additional money you can get from moonlighting or working a second job will be great for your wealth creation and smart money goals. This is especially true if your current salary is already sufficient for your basic needs. Thus, the extra cash you get for working part-time as a barista, server, golf caddy, or parking attendant can be channeled toward paying off your debts, building your emergency savings, or starting your investment and retirement plans.

Having a second (or even third) source of money also diversifies your financial standing and lessens your exposure or risk. For instance, if something major happens, and you are laid off from your primary job, the impact will be mitigated because, aside from your savings fund, you have a side hustle that can tide you over temporarily. And if that side gig has been working out well, it may even blossom into your next full-time job. Side gigs can be a great safety net or fallback in the case of major upheavals or crisis situations.

You should also take advantage of the many additional skills and self-development you can get from working side hustles. If your second job differs completely from your main employment, this puts you in a prominent position to learn skills and gain experience in a completely separate field. Ultimately, this makes you a more valuable employee to any company out there, and the additional experience definitely looks great on your resume.

Here are some awesome ideas for side hustles for younger adults:

- *Start freelancing.*

The freelancing industry has grown exponentially because of the growth of the internet and the ease of finding both clients and contractors online. There are plenty of freelance platforms you can explore online, such as Fiverr, Upwork, or Freelancer. Freelancing allows you to earn money on the side and control which projects you accept based on your open and available schedules.

- *Start dropshipping.*

A dropshipping business lets you sell products without the burden of keeping any inventory. Basically, you work as the liaison between customers and manufacturers. Look for dropshipping opportunities for products or hobbies you are already passionate about. This will make marketing and customer service more fun and closer to your passions.

- *Look for affiliate marketing gigs.*

E-commerce and the online shopping revolution has given rise to affiliate marketing as a significant segment of the market. If you start affiliate marketing for companies and merchants, you might earn money just for featuring products that you already love or directing customers to the right brands. Affiliate marketing is an excellent side hustle option if you are creative and like to find out what makes people tick.

- *Create your own blog or vlog.*

Blogging and vlogging have become their own ecosystem in the digital ecosphere. As the internet has become the dominant medium, blogs and video channels have also risen in popularity. If you have a specific niche that you know you are good at, and there is a market for it, how about starting your own blog or vlog? Platforms such as WordPress, YouTube, or even TikTok have allowed content creators to reach their target audiences and earn money from affiliates, views, etc. You just might be the next digital star!

- *Look for other part-time jobs in your area.*

Depending on where you live, you may find plenty of openings for part-time gigs as a receptionist, barista, office assistant, restaurant server, airport personnel, babysitter, tutor, or library attendant. If you normally have the evenings or weekends free, setting aside even four to six hours for a second job can make a big difference in your earnings. Just avoid being overworked, and remember to give yourself time to rest as well.

9

HOW TO SURVIVE IN RECESSION

Headlines and economic forecasts often warn about a looming recession. Periods of economic downturn are on top of the worries of financial experts, government agencies, and citizens alike. The possibility of a recession has been compounded by the continued increase in consumer prices and services, the spike in inflation, and overall volatility in the markets. As a teenager or young adult, you would do well to understand precisely what a recession is and how it can affect your financial standing.

When the economy declines in a sustained pattern for a few months, it is referred to as a recession. This is characterized by a reduction in overall economic activity, affecting not only the GDP but also consumer spending, employment, industrial production, and wholesale and retail sales. A recession could be classified as mild or severe depending on how much negative impact is felt on these factors of economic activity.

It should be noted that in the normal cycle of economies, a recession is a natural part of balancing out any excesses. Occasional downturns in economic production are expected and are usually the next step of the process before another period of expansion. You can be prepared for periods of recession by making the right preparations in your financial matters so that you can weather the effects.

Now, one glimmer of hope you can focus on is that recessions do not last forever. They may last longer or shorter depending on the prevailing situation, but on average, a recession period lasts around ten months. That may not seem like an excessively long time, but if you are unprepared for its short-term and long-term effects, even a brief recession can seem like forever. Worse, the impact on your financial health may be more significant and can set you back substantially from your financial goals. Therefore, preparation is of utmost importance.

How do you ensure you can weather a recession? Foremost of your strategies would be to **prepare for potential loss of employment**. When the economy is not doing well, one of the most significant effects is layoffs, as companies struggle to survive by reducing their workforce. No matter how resilient you may think your industry is, it is not 100% immune to job cuts, so you should always have a backup plan in place.

Always **keep your resume updated** and ready to send out in case you need to look for another job. If your career requires a portfolio, make sure it is always updated as well. Also, reach out to your professional networks by updating your LinkedIn profile and maintaining your connections with prospective clients and employers.

While you can, **build up your savings and emergency funds** as much as possible. Set aside enough money for at least three to six months of your expenses. This will lessen your anxiety in case you are notified that you are being laid off from your workplace. Even if you are eligible to receive a severance package or unemployment benefits, it is imperative that you have funds saved for a rainy day. This will also lessen the need to use credit to keep paying your bills.

Keep your eyes and ears open for developments in your company and your overall industry or sector. Monitoring news and updates within your workplace and outside may give you hints on whether to expect to get laid off during a recession. Always **be on the lookout for new**

job opportunities. The good thing about recessions is that they affect certain sectors negatively but have a positive effect on others.

You also increase your chances of weathering a recession if you are always learning new skills and continually focusing on personal development. The more skills you have, the greater your chances of transitioning to a new temporary or permanent career in case your current employment is hit by the downturn. These days, continuing education and skills development has become much easier through a wide range of online and in-person courses.

It is good to **have a backup budget** that can quickly switch you to survival mode when necessary. In order to weather a recession, you have to be prepared to cut costs drastically and focus on resourceful ways to save money until things recover financially. Within your backup budget, focus on the most essential expenses and be ready to eliminate any purchases or items that are not as important.

Even before a recession, you should already be looking for ways to **diversify your income streams.** If you heavily depend on just one source of income, it is difficult to survive a recession, especially if your sector gets hit severely. On the other hand, if you have side gigs, part-time jobs, or residual income streams in place, you will be in a better position to supply your needs and earn from alternative sources.

A recession is not the time to panic or make impulsive decisions about money matters. This is particularly true about any investments you may have already started. Experts caution against suddenly deciding to sell off your investments or assets during a recession. As already mentioned, a recession is part of the natural cycle and should not derail you from your long-term financial goals. So if you see your investments are losing their value, do not decide to liquidate right away. If you are not in dire need of the funds, let those investments sit and allow the market to correct itself in the long run.

INVESTMENT TIPS DURING RECESSION

When the news cycle is talking about how the stock market is tanking or how economic indicators are all pointing downward, investing may be the last thing on your mind. But if you understand that a recession is a part of the cycle, then you will understand why looking for investing opportunities actually makes sense even during a downturn.

After all, there are many industries and sectors that have been proven to be highly resilient versus recession. These would include health care, utilities, and consumer staples. The impact of a recession is never equal across the board, so your investment efforts during a recession can shift toward those sectors that are showing more promise.

Now, if you are still relatively young and new to investing and building your portfolio, you may want to just focus on keeping your portfolio as balanced and diversified as possible. Long-term investable funds and diversified products mitigate your risks and reduce the impact, so as long as your portfolio is adequately protected, you can rest easy. But if you are already well versed in the investing game, you should not be deterred from making informed and logical investment decisions even if a recession is happening.

In fact, a recession usually offers opportunities to buy stocks at lower prices than their usual costs, especially for certain sectors. Now, if you have lower risk tolerance, you may opt for a dollar-cost averaging strategy. This means investing only smaller amounts of money at regular intervals instead of investing one sizeable amount. This strategy can minimize the effects of volatility on an investment and give you greater control over how much risk you are taking on.

Always remember that investing is a marathon, not a sprint. No matter how unsettling the current economic situation may be, keep your eyes on the ball and focus on your long-term objectives. This will keep you from selling off your investments because they seem to lose value for now. Stay the course with your long-term investments because their returns in the future should still be advantageous for your financial outlook.

As your financial preparedness grows, so too does your potential for helping others.

Simply by leaving your honest opinion of this book on Amazon, you'll show new readers where they can find all the guidance they need to improve their financial literacy and set themselves on the road to financial independence.

Thank you so much for your support. It's through sharing information that we're able to learn – and when we do that, it's amazing how many doors are opened.

Scan the QR code to leave a review!

CONCLUSION

Smart money habits take time to become interwoven with your daily decision-making. As a young adult, this is the best possible time for you to start sound financial choices and put plans in place to secure your long-term stability. Equipping yourself as early as now with the positive habits laid out in this book will yield tremendous rewards for you down the line. Whatever your long-term financial goals may be, streamlining your day-to-day choices and aligning them toward your goal increases your likelihood of success.

At your age, you have your whole life ahead of you to pursue a better future and secure your financial footing for the years to come. Following this path may not always be the easiest, but it will save you from the pitfalls and negative consequences that many others have had to endure. Always remind yourself that the aim of these sound habits is not to keep you from enjoying your life. Rather, your pursuit of happiness will take on a more pronounced structure as you enhance these strategies for better money management.

Budgeting and expense tracking are certainly not the easiest or most glamorous tasks to perform. But with constant repetition and application, you will develop your own system and figure out which methods work best for your needs. And as you practice what you have learned within these pages, you become better and more efficient as you get older. The wisdom you will glean from these proven techniques can be your best defense against the many challenges you will encounter along the way.

Best of all, you will experience the immense satisfaction of knowing that your hard work and perseverance will not be for nothing. The minor sacrifices you make now, while you are younger in years, will pay off with much bigger returns as you advance in your journey. And you will return to these smart financial habits when faced with obstacles, then discover that they are the best foundation for strategizing your approach to whatever you may deal with.

The knowledge you can use for maximum financial preparedness is now in your hands. With these tools already at your disposal, the next step is to apply them in your daily life. Take those first few steps toward a better future for yourself and your loved ones with the help of these smart money habits, and watch your efforts bring about the stability and peace of mind you are pursuing in your journey through life.

REFERENCES

"12 Top Budget Categories You Need in Your Plan | Credit.com." Accessed December 22, 2022. https://www.credit.com/blog/12-top-budget-categories-you-need-in-your-plan/

"5 Steps to Build an Emergency Fund." Securian Financial. Accessed December 22, 2022. https://www.securian.com/insights-tools/arti cles/5-steps-to-building-an-emergency-fund.html

Annie Nova. "Almost Half of Americans Don't Expect to Have Enough Money to Retire Comfortably - but There's Some Good News." CNBC. CNBC, May 9, 2018. https://www.cnbc.com/2018/05/09/almost-half-of-americans-dont-expect-to-have-enough-money-to-retire-comfortably--but-theres-some-good-news.html

Big-picture thinking leads to the right money mindset. (2020, January 27). Capital One. https://www.capitalone.com/about/newsroom/mind-over-money-survey/

Caldwell, Miriam. "Tips for Preparing for Unexpected Financial Events." The Balance. The Balance, November 15, 2021. https://www.thebal ancemoney.com/planning-for-financial-emergencies-2385813

Cascio, C. N., O'Donnell, M. B., Tinney, F. J., Lieberman, M. D., Taylor, S. E., Strecher, V. J., & Falk, E. B. (2016). Self-affirmation activates brain systems associated with self-related processing and reward and is reinforced by future orientation. Social cognitive and affective neuroscience, 11(4), 621–629. https://doi.org/10.1093/scan/nsv136

Danielsson, Matt. "How to Reach Financial Freedom: 12 Habits to Get You There." Investopedia. Investopedia, September 27, 2022. https://www.investopedia.com/articles/personal-finance/112015/these-10-habits-will-help-you-reach-financial-freedom.asp

Edberg, H. (2022, May 12). 103 inspiring quotes on money and wealth. The Positivity Blog. https://www.positivityblog.com/quotes-on-wealth-and-money/

"Emergency Fund: Why You Need One." Vanguard. Accessed December

22, 2022. https://investor.vanguard.com/investor-resources-educa tion/emergency-fund

Farrington, Robert. "Why Student Loan Debt Can Be Good." The College Investor, October 17, 2022. https://thecollegeinvestor.com/20183/ why-student-loan-debt-can-be-good/

Gravier, Elizabeth. "The 5 Best Expense Tracker Apps of 2022." CNBC. CNBC, November 16, 2022. https://www.cnbc.com/select/best-expense-tracker-apps/

"Financial Literacy." Corporate Finance Institute, November 29, 2022. https://corporatefinanceinstitute.com/resources/management/finan cial-literacy/

Fontinelle, Amy. "8 Financial Tips for Young Adults." Investopedia. Investopedia, September 21, 2022. https://www.investopedia.com/ articles/younginvestors/08/eight-tips.asp

Fontinelle, Amy. "How to Set Financial Goals for Your Future." Investopedia. Investopedia, October 12, 2022. https://www.investope dia.com/articles/personal-finance/100516/setting-financial-goals/

Ganti, Akhilesh. "Net Worth: What It Is and How to Calculate It." Investopedia. Investopedia, September 9, 2022. https://www.investo pedia.com/terms/n/networth.asp

Klein, Richard. "Importance of Keeping Track of Your Expenses." Long Island CPA Firm – Richard L. Klein. Accessed December 22, 2022. https://richardkleincpa.com/importance-of-keeping-track-of-your-expenses/

Ledsom, Alex. "New Study Shows That More Money Buys More Happiness, Even for the Rich." Forbes. Forbes Magazine, November 9, 2022. https://www.forbes.com/sites/alexledsom/2021/02/07/new-study-shows-that-more-money-buys-more-happiness/?sh= 3707dedd70d5

Lucreziano, Carissa. "Where Do Your Money Habits Come from?" CIBC, October 18, 2021. https://www.cibc.com/en/personal-banking/ smart-advice/family-finances/your-money-habits.html

Michalos, Hoyes. "7 Reasons Why Credit Cards Can Be so Dangerous." Hoyes, Michalos & Associates Inc., December 22, 2021. https:// www.hoyes.com/blog/why-credit-cards-can-be-so-dangerous/

Michael, Paul. "8 Reasons Time Is Worth More than Money." Wise Bread. Accessed December 14, 2022. https://www.wisebread.com/8-reasons-time-is-worth-more-than-money

Miller, Walli. "Examples of Financial Goals." Clever Girl Finance, March 23, 2022. https://www.clevergirlfinance.com/blog/examples-of-finan cial-goals/

Mineo, Liz. "Over Nearly 80 Years, Harvard Study Has Been Showing How to Live a Healthy and Happy Life." Harvard Gazette. Harvard Gazette, November 26, 2018. https://news.harvard.edu/gazette/story/2017/04/over-nearly-80-years-harvard-study-has-been-show ing-how-to-live-a-healthy-and-happy-life/

Neidel, Courtney. "The 8 Best Budget Apps for 2022." NerdWallet. Accessed December 22, 2022. https://www.nerdwallet.com/article/finance/best-budget-apps

Robinson, Lawrence, and Melissa Smith. "Coping with Financial Stress." HelpGuide.org. Accessed December 14, 2022. https://www.helpguide.org/articles/stress/coping-with-financial-stress.htm

Rogers, Robert. "Understand Your Options for Getting out of Debt." Dial. Accessed December 22, 2022. https://dialalaw.peopleslawschool.ca/when-you-cant-pay-your-debts/

Rosenfeld, Jordan. "How to Build Your Emergency Fund When Living Paycheck to Paycheck." GOBankingRates. GOBankingRates, September 29, 2022. https://www.gobankingrates.com/money/finan cial-planning/how-to-build-your-emergency-fund-when-living-paycheck-to-paycheck/

Shiundu, Washika. "The 7 Types of Personal Budgets and How to Choose." RSS. Accessed December 22, 2022. https://www.money254.co.ke/post/the-7-types-of-personal-budgets-and-how-to-choose-money-management

"Short-Term Financial Goals: 5 Examples and How to Achieve Them: Thrivent." Thrivent.com. Thrivent.com, December 7, 2022. https://www.thrivent.com/insights/financial-planning/short-term-financial-goals-5-examples-and-how-to-achieve-them

Smith, Kelly Anne. "These States Now Require Students to Learn about Personal Finance." Forbes. Forbes Magazine, April 1, 2022. https://

www.forbes.com/advisor/personal-finance/states-mandating-personal-finance-in-school/

Smith, Lisa. "Good Debt vs. Bad Debt: What's the Difference?" Investopedia. Investopedia, May 3, 2022. https://www.investopedia.com/articles/pf/12/good-debt-bad-debt.asp

"The Science behind Positive Affirmations." Third Space, February 4, 2021. https://www.thirdspace.london/this-space/2021/02/the-science-behind-positive-affirmations/

"Valuing Your Time More than Money Is Linked to Happiness." Valuing Your Time More Than Money is Linked to Happiness | Society for Personality and Social Psychology. Accessed December 14, 2022. https://spsp.org/news-center/press-release/valuing-your-time-more-money-linked-happiness?hootPostID=2cd8155f181030091e54784421fc199d

"Why Financial Habits Is Crucial to Success and Fulfilling Life." RSS. Accessed December 14, 2022. https://www.habitify.me/blog/why-financial-habits-is-crucial-to-success-and-fulfilling-life

Wilson, and Wilson. "5 Reasons Car Loans Are a Bad Deal." The Money Speakeasy, January 25, 2021. https://themoneyspeakeasy.com/car-loans

Printed in Great Britain
by Amazon

36603873R00096